开端 面向青少年的哲学

华东师范大学哲学系、中国智慧研究院 组编
杨国荣 主编

哲学家的小王子

晓明 题

刘梁剑 著

中西書局

图书在版编目（CIP）数据

哲学家的小王子 / 刘梁剑著. -- 上海 ：中西书局，2025. --（开端 ：面向青少年的哲学 / 杨国荣主编）.

ISBN 978-7-5475-2422-0

Ⅰ. B-49

中国国家版本馆 CIP 数据核字第 2025NT0513 号

哲学家的小王子

刘梁剑　著

特邀插画　刘昊华

责任编辑　孙本初

装帧设计　梁业礼

责任印制　朱人杰

出版发行　上海世纪出版集团
中西书局(www.zxpress.com.cn)

地　　址　上海市闵行区号景路 159 弄 B 座(邮政编码：201101)

印　　刷　上海展强印刷有限公司

开　　本　890 毫米×1240 毫米　1/32

印　　张　6.25

字　　数　101 000

版　　次　2025 年 5 月第 1 版　2025 年 5 月第 1 次印刷

书　　号　ISBN 978-7-5475-2422-0/B·151

定　　价　60.00 元

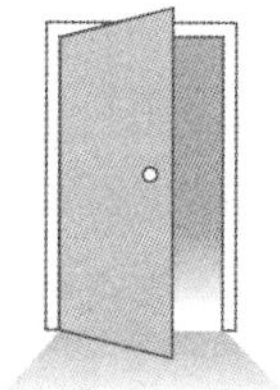

目录

书前席明纳

“席明纳”（seminar）者何？席，一席。明，讲明道理，澄明心智，启明精神。纳，集思广益，容纳不同的声音。

费孝通先生曾经在世界文明的宏阔视域中提出跨越文化界限的“席明纳”：“‘各美其美’就是不同文化中的不同人群对自己传统的欣赏。这是处于分散、孤立状态中的人群所必然具有的心理状态。‘美人之美’就是要求我们了解别人文化的优势和美感。这是不同人群接触中要求合和共存时必须具备的对不同文化的相互态度。‘美美与共’就是在‘天下大同’的世界里，不同人群在人文价值上取得共识以促使不同的人文类型和平共处。总而言之，这一文化价值的动态观念就是力图创造出一个跨越文化界限的‘席明纳’，让不同文化在对话、沟通中取长补短。”①

① 费孝通：《反思·对话·文化自觉》，载费孝通《文化的生与死》，刘豪兴编，上海人民出版社，2009年，第198页。

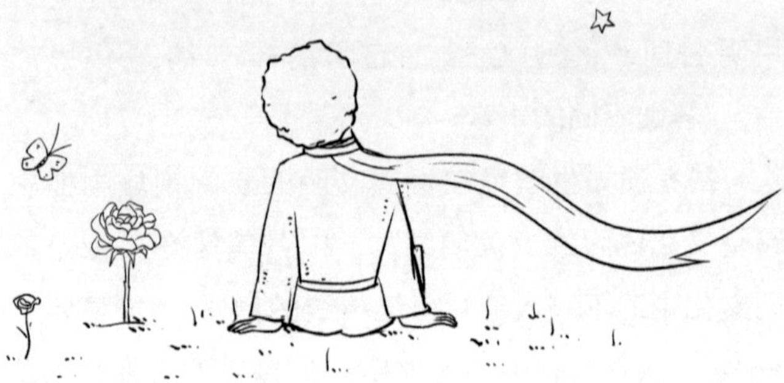

小王子蒙太奇

萧　阳*

梁剑的《哲学家的小王子》这本书在结构上有一个新颖的设计：在正文前面，读者首先看到的是他的几个朋友写的几篇小文章，叫作“书前席明纳”。我的文章也有幸忝列其中。如果把这些小作文看作是几道饭前下胃小菜，我很荣幸梁剑邀请我来做一道，让读者在吃他做的正餐之前尝一尝，用它来吊一吊读者的胃口。我是一个吃货，会立即联想到的比喻往往与吃有关。我曾经为此感到羞愧，但是，后来，有一天，我却感到释然了。那一天，我突然意识到这其实是中国哲学的一个古老传统，最早的那个著名的关于舍生取义的比喻，就是将生命与正义分别比喻为两道最为宝贵的美食：“鱼，我所欲也，熊掌，亦我所欲也；二者不可得兼，舍鱼而取熊掌者也。”

* 萧阳，美国肯庸学院教授，华东师范大学哲学系客座教授。

不过，我想，在这里可能还是应当尝试为这本奇特的书找一个更为恰当的比喻。我喜欢的英国哲学家达米特（Michael Dummett）曾经说过，一本没有导言的书就像一个在大门与客厅之间没有走廊的房子：客人一进门，就是客厅。达米特是一个讲究礼节的老派的英国人（尽管他在涉及移民与反对种族歧视等公共政策方面属于进步的新左翼），在他看来，这是一个相当粗鲁的设计。作为这本书的“建筑师”的梁剑所设计的这所“房子”，没有这个毛病。他在大门与客厅之间建了一个“走廊”：读者一定要先读相当于导言的第 1 章“遇见”与书末的“跋语”以及书的“目录”。从那里，读者可以惊鸿一瞥，看见客厅的一角，看见房子内部大致的格局（比如，有几间房，有些什么家具，书房的书架上有些什么书——尤其他们会注意到《庄子》这本书），甚至还可以穿过房间透过窗户看见房子另一边的远方的景色。这是一个精心设计的建筑，达米特应当会相当满意，甚至感到惊喜。

达米特大概不知道一本书的导言前面还可以有“书前席明纳”——这里的“席明纳”是“seminar”（研讨班）这个英文词的一个巧妙的音译。我在美国去过一种派对，叫作“house warming party”

(庆祝乔迁之喜的派对)。或许也可以将这本书的"席明纳"写成"喜呜啦"——想象这是建筑大师的一些朋友，他们在庆祝新房建成的乔迁之"喜"的派对上，从客厅经过走廊，走出了大门，端着酒，他们漫步在房子前面花园的草坪上，大声地称赞（"呜"）这个房子有多好。他们是这位建筑师的"啦啦队"。作为这个啦啦队的一员，假如我有更多的时间，我大概会给那些碰巧路过的读者讲一讲：这所房子坐落的这个社区在这座叫作"哲学"的城市里位于何处，有什么特点，它是一种什么类型的建筑，为什么应当建，它有什么奇特之处，为什么值得登门拜访，里面大致有些什么值得仔细玩赏的宝藏。

这本书的出版的确是一件可庆可贺的喜事。它是属于中国"儿童哲学"（或"儿童与哲学"）这个运动的一件大事。这个运动是中国哲学界自20世纪80年代以来最有意义、最有创新性的一个草根运动。它的起点或许可以从生活·读书·新知三联书店1989年出版的美国哲学家马修斯（Gareth B. Mathews）的《哲学与幼童》算起。这是马修斯1980年出版的英文专著 *Philosophy and the Young Child* 的中译（译者陈国容在"译后记"中提到这是钱锺书先生给三联书店推荐的）。近几十年来，不仅有不少人写关于儿童哲学的博士论文，而且在很多译著之外，也有不少中国哲学家写的关于儿童哲学的专著（四川大学的刘莘、杭州师范大学的高振宇、台湾辅仁大学的潘小慧——仅仅提几个我所知道的学者）。在这里，一个最有意义的最激动人心的新动向是有人开始尝试建设"中国儿童哲学"（比如暨南大学的陈永宝刚刚出版了一本论述朱熹与儿童哲学的专著）。梁剑的这本书对《小王子》给出的庄子式的解读，是他在"中国儿童哲学"这个城市的一个新的开发区建的一所新房子。我相信在不久的将来，应当会有人写专论庄子与儿童哲学的博士论文或专著。或许这是当下已经在发生的事。[①]

中国的儿童哲学不是一个局限于大学哲学系的纯粹的学术事件，而是一个与社会互动的草根运动。许多年轻的哲学工作者已经开始在幼儿园、小学与中学开展形形色色的儿童哲学活动。就其运动的规模宏大这一点而言，中国的儿童哲学，尽管起步晚，但应当处于世界前沿。华东师范大学哲学系与中国智慧研究院哲学教育研修中心是这个运动中的一支生力军。梁剑的这本书是丛书"开

① 华东师范大学的尹紫涵同学告诉我，厦门大学的黄睿在2022年出版了一本有关庄子教育哲学研究的书，其中也论及庄子与儿童哲学。

端：面向青少年的哲学”的第一本特辑。在这之前，已经有两本论文集在这套丛书中出版。由于《小王子》是一本在中国儿童哲学运动中被广泛使用的教材，对于那些在中国儿童哲学运动的前线作战的践行者而言，我相信梁剑的书将会成为一本人人手边必备的实用手册。

中国哲学界近年来的另外一个激动人心的新动向，是大学校园里的“哲学戏剧”运动。首都师范大学、清华大学、山东大学、华中科技大学、内蒙古大学和华东师范大学的学生（分别由程广云、夏莹与肖薇、吴童立、库慧君、王惠灵、武娟与何雨洋等引领）是先行者。我觉得，可以把哲学戏剧看作一个更为广大的“文学与哲学”运动的一部分。我们可以期待，很快就能看到有人把《小王子》变幻为一个舞台剧。在这个意义上，梁剑的书也是中国的方兴未艾的文学与哲学运动中的一个意义重大的事件：他以《小王子》这本儿童文学名著为例，为我们具体地演示：如何像一个哲学家一样来读一个文学作品，文学如何是伦理学的不可分离的一部分。我们如果不应当做“伦理学理论”，那么，“作为伦理学的文学”或许会成为一种更好的伦理学思考的风格。

我如果有更多的时间，对于梁剑的这所奇妙的

“房子”，我还有太多的话想说。比如，它有很多朝阳的窗户，采光很好，这使得你能够看清楚很多你以前看不太清楚的风景，甚至看明白你原来身处一个洞穴这件事。在美国农村，人们喜欢在一所房子外加建一个他们称之为“阳光房”（sunroom）的小屋子。想象住在没有阳光的建筑里的人是玫瑰花，阳光房就是他们的花房。这也是夏天做阳光浴和晚上乘凉的好地方。梁剑的这所房子有两个令人惊艳的阳光房：第 6 章“《小王子》新编”和附录“《齐物论》新编及释”。这两个部分是充满了光的地方，如果要给梁剑的这所房子命名，我会称之为“以明楼”或“莫若室”。

这本书的书名《哲学家的小王子》可以有好多个含义，取决于如何理解书名中的“哲学家”一词。“哲学家”至少有三个可能的含义（由此形成“三种书”）。首先，它可以指的是《小王子》一书的作者，圣埃克絮佩里[①]，这样理解的时候，这是一本阐发这个法国作家的哲学思想的书。正如梁剑所说，“作为童话的《小王子》……其文简，而其义丰，具有丰厚的哲学意蕴，很耐读。圣埃克

① 圣埃克絮佩里（Antoine de Saint-Exupéry，1900—1944），亦译“圣-埃克苏佩里”“圣·埃克苏佩里”等。为了简明起见，本书中该译名统一作“圣埃克絮佩里”。

絮佩里是飞行员，是作家，也是哲人”。其次，“哲学家”也可以是单数，指的是作为一个哲学家的梁剑，此时，这本书是梁剑作为哲学家对《小王子》这本家喻户晓的儿童文学经典所作的哲学诠释。当然，还可以有第三种解读：“哲学家”是复数，指的是许多的哲学家，尤其是那些梁剑“驯养”多年的老朋友——从老子、庄子、王船山，到熊十力、金岳霖、冯契、杨国荣、崔宜明、贡华南，从歌德、尼采、罗姆巴赫，到阿罗频多、徐梵澄。梁剑的天才式的想法是这样的：把《小王子》与这些哲学家的书放在一起来读，让它们对话，由此会“兴”发出什么样的思想呢?

梁剑的读书法可以追溯到中国古老的“《诗经》并置读书法”或者“《诗经》蒙太奇读书法”。蒙太奇是一个来自电影的术语，它指的就是把两个画面先后并置。孔子应当是第一个注意到《诗经》的如下特点的人：《诗经》中常见的一个叙述条理是先说A，然后紧接着说B，两者先后并置。比如，《诗经》的第一首诗的第一段就是由A与B所组成的，其中A是关于自然界的一个画面的描写（“关关雎鸠，在河之洲”），B是关于人世间的一个画面的描写（“窈窕淑女，君子好逑”）。两个画面先后“放映”出来，兴发（intimate）出许多的思想。我们只要看一眼《论语》中孔子教弟子读《诗经》的那些具体例子，就可以知道，孔子想要他的弟子用这种“兴”的方法来读诗（“诗可以兴”，“赐也，始可与言诗已矣！告诸往而知来者”）。这也解释了为什么这本《哲学家的小王子》所兴发的“哲学”和周保松的《小王子的领悟》[①]所兴发的“哲学领悟”会非常不同，这是因为他们把《小王子》和一些非常不一样的书并置在一起读。我们很容易想象，未来还会有更多的关于《小王子》的书，通过另一种不同的并置，还可能兴发出又一种不同的解读。每一个人都可以有属于自己的独特的并置蒙太奇，以及由此引发的“兴”（intimation）。

在我看来，梁剑的书是上面提到的“三种书”融合在一起而形成的一本书。很难说清这三种书中的哪一种在哪里结束，哪一种又在哪里开始。不过，在大多数时候，我们读到的是第三种书：梁剑把他的阳光房变成了一个跨越古今中外的文艺沙龙，作为这个沙龙的主人，他邀请上面提到的这些哲学大师和化身为小王子的圣埃克絮佩里在一起喝酒聊天。

亲爱的读者，我现在就邀请你和我一起进入大门，穿过长廊，来到客厅，加入梁剑和小王子与这些哲学家的对话。让属于你自己的“兴”开始吧！

---

① 周保松：《小王子的领悟》，上海三联书店，2018 年。

突破哲学工作者的自限

朱　承*

梁剑乐言《小王子》，这是我二十多年前就知道的事情，但我没想到他居然以此为题写出了一本书。当年，我是受梁剑的影响才知道并去阅读《小王子》的，不过青年时代陷入生计，当时只道是寻常。女儿小学三年级时，我为了完成学校老师布置的家校协作任务，到她的课堂上分享一本书，于是又想起梁剑常说的这部老少咸宜的《小王子》，重新阅读并与一群懵懂的儿童叽叽喳喳地讨论了一番。当时说了什么，我早已忘却，但经此一遭，《小王子》于我又多了一份"最难风雨故人来"之感。这次，"小王子"又翩然而至，二十年来仿佛轮回，我再次面对《小王子》，有所不同的是，这次是《哲学家的小王子》。

诗人写诗，一切事物皆可入诗，天地风霜、

* 朱承，华东师范大学哲学系暨中国现代思想文化研究所教授。

草木山川、鸢飞鱼跃、帝王将相、才子佳人、世事人情、往古来今，几乎没有什么不入诗人之眼。可是眼下学院里的哲学工作者写文章，似乎有其特定的对象，除了以哲学术语进行理论书写之外，最常见的工作就是对既定的哲学文本进行诠释和分析，这也是我们目前哲学训练和哲学书写的主要路径，哲学工作者们都自觉地恪守学术规程，用专业的术语、概念、命题反复揣摩着流传下来的思想文本。作为一个从业近三十年的学院派哲学工作者，梁剑当然非常熟悉哲学规程的界限所在，好在他没有以此“自限”。“自限”是梁剑自己的话。大约十年前，他曾经提出“以儒家自居还是以儒家自限”的问题。虽然他这个话是针对“儒学复兴”的文化现象而说的，但我一直觉得“自居还是自限”的提问方式可以用在很多场域。比如，对于哲学工作者的学术工作来说，是以阐释哲学史上的文本自居还是自限？显然，能够精深地阐释哲学史上流传下来的文本是哲学工作者的立业之本，在当前的学术生态下，若没有这个能力，大概是难以在高校或研究机构找到一份研究哲学的工作的。然而哲学工作者是否要以解读“纯化”的哲学史文本自限？答案显然是既无必要也无可能。“无必要”是因为哲学思想本身的开放性，蕴含在一切可以解读的文本、事物之中，没有必要仅仅把目光局限在传统的哲学史意义上的文本中；“无可能”是因为随着人们阅读和理解对象的扩大化，既存的哲学文本已经不能够满足哲学工作者的兴趣和关切，必然要不断地扩展研究对象。由此而言，哲学工作者所深耕的“文本”不断“泛化”是势之所趋。

梁剑没有以解读哲学史文本的哲学工作者自限，而更像是一位不断开疆拓土的思想骑士，他这次开拓的新疆域是《小王子》。《小王子》显然不是“纯化”的哲学文本，对于大多数人来说，《小王子》是一部童书，故事在小王子“排空驭气奔如电，升天入地求之遍”的飞行中展开，是儿童眼中奇幻的“星际旅行记”。但这部“星际旅行记”，同时也是一部哲学意义上的“童心”之作，描绘了“应然世界”对“实然世界”的童幻抵抗：世界本该如此，虽然还不如此。正是在这个意义上，梁剑将《小王子》引申为“哲学家的小王子”，对书中的“驯养”“责任”“友谊”等话题乃至伦理精神作了哲学阐发，进而将阐发《小王子》变成了哲学工作者的“正事”。梁剑没有以解读“纯化”的哲学史文本“自限”，我们才有了这部有趣的《哲学家的小王子》。

“对你驯养过的东西，你永远负有责任。”梁剑“驯养”《小王子》已经二十多年了，他也有“责任”对这部书作一次哲学的阐发。虽然梁剑在书中每一章的标题下都引用了老庄话语，出尘脱俗，然而人间世上毕竟有“无所逃于天地之间”的责任。最近几年梁剑太忙，似乎对于熟和不熟的事务都负有责任，如果他能够稍微闲一点的话，《哲学家的小王子》会写得更加“神采奕奕”。

哲学家的用“心”

程　亮*

举凡名作，其意义都不限于一时一地，更不囿于一人一事，而是持续开放、不断生成的，也是常读常新的。对于《小王子》这样的经典，每个人自是可以有不同的视角，带着不同的生活经验，解读其所触及的主题，共情其所呈现的角色，体味其所蕴含的意义。梁剑兄这本《哲学家的小王子》，殊是用“心”，囊括中外古今，以哲学的方式进行深入的阐释和演绎，即便不是“独辟蹊径”，也是“别有洞天”。

一

从哲学的角度来看，《小王子》无疑是一部具有哲学意蕴的文学作品，或可称得上是“文学化的哲

* 程亮，华东师范大学教育学部教授。

学”或“哲学化的文学”。但是，这种哲学意蕴，不同于有待“发现”、需要“说明”的自然之物，而是有赖于作为主体的我们，特别是“哲学家”，去创发和解释的。书名“哲学家的小王子”，恰恰暗含着哲学探究的这种“个人化”面向和“解释学”维度，意味着不同的“哲学家”往往（或总是）会以不同的方式进入《小王子》的意义世界。

但在“这里”，谁是“哲学家”呢？在“跋语”中，梁剑兄特别指出，他所说的“哲学家”是《小王子》的作者，而谦称自己只是“哲学工作者”。不过，若是把“哲学家”看作是从事哲学研究的“专门家”，圣埃克絮佩里未必比梁剑兄更是一个“哲学家”；如果“哲学家”是指那些真正以自己的思想，“邀请”和“引导”我们参与哲学对话的人，圣埃克絮佩里与梁剑兄自然都在其列。就后者而言，圣埃克絮佩里以文学的方式创作了“小王子”，传递了他有关宇宙人生问题的洞见；梁剑兄则以哲学的方式重构了“小王子”，阐释了《小王子》所涉及的“大问题”，绘制了《小王子》的“哲学地图”，为我们把握《小王子》的哲学深意提供了指引。

正是在“这里”，梁剑兄与圣埃克絮佩里展开了一场哲学的对话。作为读者，我们也正在“观看”这场对话。此时此刻，我们是不是也已加入其中，带着我们的“小王子”，与两位“哲学家”的“小王子”对话呢？如果是，我们也可能是“哲学家”吗？就此而言，“哲学家的小王子”这个书名很是耐人寻味，尤其内含着解释学的张力和可能性。或许，我们还可以颠倒一下书名，变成“小王子的哲学家”。那么，谁又是小王子的“哲学家”呢？

二

对于《小王子》的阅读和写作，梁剑兄是“切己的”，是用“心”的。这种“切己”用“心”，首先与他作为一个专业的“哲学家”的身份有关。梁剑兄尤长中国哲学，推重汉语言哲学，但又不拘泥于中国哲学，而是围绕共通的哲学问题，推动中国哲学与外国（尤其是西方）哲学的对话，定位中国哲学的世界意义和独特贡献。他将自己的这种哲学之“心”（mind）引入《小王子》这个“西方”作品，离析出其中与哲学有关的重要主题（如“懂”“责任”“正事”“驯养”等），更是富有洞见地观察到这些主题与中国哲学（特别是庄子哲学）的呼应、关联和共鸣。文中各篇不仅以庄子为引子，从“小王子”中看见“庄子”，用“庄子”回应“小王子”，而且更是颇有创意地对《齐物论》和《小王子》进行了互鉴和新编。

不得不说，梁剑兄对于《小王子》的这种处理，多少体现了古今中外哲学之间的一种会通和融合。很多时候，我们从事一项工作，并不单单是因为它重要，而可能是因为它“有意思”，或者它“打动了”我们。初遇《小王子》的时候，梁剑兄已是“大人”，却“依然被《小王子》简约而深刻的美丽深深打动”，情之所至，当时就写下了以“月色皎洁，星光灿烂”为题的文字。他称之为一种奇妙的“到时”体验，这种体验固然与《小王子》本身内含的情感叙事有关，但也离不开梁剑兄个人的生命体验和生活敏感。倘若没有这种“心”（heart）之所动，他就很难沉浸在《小王子》的故事和圣埃克絮佩里的传奇里，穿梭在各派哲学家的思想丛林中，更不能在不经意间融入自己生活中的奇妙“相遇”（如童世骏的“哲学家”之辨、崔宜明的“意义敞口”等）。

三

惟其用“心”，梁剑兄对《小王子》的书写，总能在文学叙事、哲学分析与现实观照之间形成自然的“链接”，让人倍感亲切，又深受启迪。其中，很多哲学意蕴的阐发，都不离“小孩—大人”的框架，因而就必然关联到“成长”（或“教育”）的话题。实际上，“成长”本身就是一个重要的哲学问题。

作为一个童话故事，《小王子》对孩子来说，自然有教化、教育或成长的意义，但圣埃克絮佩里说，它也是“写给大人们看的”。它有助于每个孩子的自我理解，更有助于促动每个大人重新看待孩子的世界，重新看待我们对待孩子的方式，乃至于重新理解我们自己的生活本身。无论是过去还是现在，大人们常常认为孩子什么都不懂，童年不过是成年的预备，其本身没什么独特或内在的价值。但在小王子看来，大人们才是什么也不懂，往往只看表面，自私自利，不懂温情，生活没有目的。这种看法意味着，我们对孩子应采取一种内在的、积极的立场，而不是一种外部的、比较的立场。杜威（John Dewey）就说，大人确实在某些理智或道德的方面应该向孩子学习，应该成为孩子。

不过，这种内在的立场并没有让“成长”问题变得简单。如果孩子本来就是好的，就像圣埃克絮佩里所认为的，“每个人的童年都是莫扎特，心中都有一颗种子”，那么，大人们所要做的，就是给予他们适当的培养，等待他们发芽、长大。但问题在于，这个世界不仅先于孩子而存在，而且是不完美甚至是糟糕的；身处其中的很多大人都成了小王子所说的“什么也不懂”的样子，也忘记了童年、失去了童心。那么，一个孩子究竟怎样才能在一个不完美的世界里长大成人呢？这确实是个教育上的难题，圣埃克絮佩里也没有直接的答案。不过，在《小王子》中，他或多或少让我们见证了小王子的“成长”：从不懂得爱到懂得了爱，从决然离开到毅然归去。这个历程或许意味着，“成长”（或“教育”）就是一场“际遇”，是一种“驯养”，是一次出离的“旅行”，最终也是一种自我的澄明或领悟。对我们每个人来说，它都是一份特别的“礼物”。

四

与梁剑兄“相遇”有年，虽学科有别，但殊为“知契”。《哲学家的小王子》甫一竣事，梁剑兄就让先睹为快，并嘱咐在“书前席明纳”中写些体会的文字。认真读后，最直接的感受就是，与《小王子》是圣埃克絮佩里用“心”之作一样，这本书也可谓是梁剑兄作为“哲学家”的用“心”之作。正如《小王子》中所说，“用心去看才看得清楚。本质的东西用眼是看不见的”。在这种意义上，梁剑兄确实是“切己体察”，在用“心”去体悟小王子的哲学时刻，体味圣埃克絮佩里的人生境况，对话古今中外的伟大心灵。最后，对于梁剑兄的这份用“心”，也祈望我们每个读者都能用“心”感受到！

启明·驯养·责任

樊沁永*

5月31日，梁剑兄微信发来了《哲学家的小王子》的书稿，这本书是我在今年六一儿童节收到的唯一礼物。三年前，梁剑兄在华东师范大学哲学系组织的"'现代中国哲学'谱系反思"活动刚好也是在儿童节，当时我收到了张文江老师签赠的《〈史记·太史公自序〉讲记》。这是我成年后印象最深的两次儿童节，多了一些"好好学习"的鼓励，由之，可以砥砺"天天向上"的志气。

人的精神可以不断发育和成长，不受限于身体，总要超出自身一头，有了这个念头，生活就回到了"正事"。当然，也会遇到更加朴实和优秀的同行者，哲学家就是如此遇到了《小王子》。

一

《小王子》是内返自身从而打开世界的童话。以

---

* 樊沁永，扬州大学徐梵澄研究中心主任。

成人和儿童对举，撑开了“蒙”的张力。书中讨论“大人需要回蒙”，大抵是社会的“启蒙”还有“蒙蔽”“理实”的状况。让人难安的是，生命的“理实”究竟是什么？读写给大人的童话，是要复归童心看世界，破除掉一些外在习得的知见，甚而还有被语言掌控的存在方式。可见，这世间最大的“道”一旦“分殊”破裂之后，“理”就变得不是那么实在。梵澄先生用“启明”替代“启蒙”，把性灵成长的变数消解在了“明”中。内在的理解，是“为道日损”的工夫，这个工夫不阻碍文化熏习和师生传授的“为学日益”，性灵连缀本然道体，贯注了自“一”而来的“明”，可以自作主宰。心火自明，“文”才有了显“质”的可能，求知欲引导下开出的光明和知见的增益是两回事。“为道日损”的工夫需干健的努力方能得之，只是在德性上用力向来不像体力劳动，但也不会因为无形就无从着力，念念善护本心发动，自然在日常行事中有不同的气象散发，并影响周遭之境。

《论语》首章言“学”不言“教”，是“明师”潜藏在所有需要成长的学生内中，成长的悦乐是不断地超出自身，“学”是人的天性。《周易·蒙卦》“匪我求童蒙，童蒙求我”把师生关系外化为二，“童”为儿童，“求蒙”的儿童则是学生，求之于师，“蒙”

卦比“学”多了一层“教”的意涵。“大人需要回蒙”则从精神性上看到了“学”与“人”的内在本性，超越了生理性的理解，看到了童心和青春与天地大化的联动。“教”“学”是以同源而有方向之别，一旦“二”则有了两种可能性，师所传授是“发蒙”理实，还是以错误知见“蒙蔽”心灵，“蒙”有了变数。这个道理同样在柏拉图的“洞穴”喻中有深刻的表达：走出“洞穴”，何以知道外面不是更大的“洞穴”？不但破局的本体“明”仍然在学生内中，破局的动力“启”也在学生内中。

二

学术写作，灵动的统合难能可贵。这本书源于口述、对话，我更愿意将其看成梁剑兄精神成长的阶段性自传。虽然是自传，却一直在消解“自我”，一部分重叠了圣埃克絮佩里和庄子的心思，更多的还以千手千眼的手法收摄了古今中外学术大家的妙语，为读者接引了思考“正事”的通道。其“用眼”“用心”开阔，是“懂”读者的，这个“懂”对话的是诚实的灵魂，一旦同意“正事”是培育理想人格，可以依循传统，也可以超越具体的文明和宗派，进而超越语言和逻辑，为精神挺立后的价值、秩序重新确立方向，任重而道远。

大多数人饱尝“内卷”的困苦并非不“懂”其弊端，而是苦于不“懂”何为“正事”。“懂”古文右边又作“董”，正是童心蒙发处，要建立内在与周遭世界的联动。庄子惠子濠梁之辩正是外求造成的无解，倘若反观内心，找到“懂”的通道，悬心率性，必能无言默会，迦叶拈花亦合此理。

倘若“懂”不是西方的认识论意涵，自然就会衔接到“驯养”的工夫。这对于中国人并不陌生，通俗言，就是在生活中用心打交道，也是儒家的“仁”，佛教“善巧方便”的佛德，印度教的“瑜伽”。“驯养”是在主体的意义上熟悉地联动了有差异性的他者，在这个意义上，千差万别的个体可以在“驯养”的工夫中连结成更大的主体，“亲亲、仁民、爱物”“民胞物与”与小王子“驯养”世界的方式是多么地相似！这不是在普遍意义上抽象出某种属性的哲学，而是与世界打交道的生存智慧！

三

书中引《小王子》：“对你驯养过的东西，你永远负有责任。”《道德经》云“为而不恃，长而不宰”可以作为最佳的注脚，这才是“责任”的正解。由此，书中展开了“战争与和平”的议题。大到国家与文明，小到家庭与教养，责任并不意味着占有，追寻普遍性不可避免地会以某种文明和观念为基底，粗暴地格式化他者。几乎失败的教育和糟糕的国际政治、文明冲突都源于此。梵澄先生曾在《玄理参同》序中说：“现代人士盛言世界大同，理想实为高远。然求世界大同，必先有学术之会通；学术之会通，在于义理之互证。在义理上既得契合，在思想上乃可和谐。不妨其为异，不碍其为同，万类攸归，‘多’通于‘一’。然后此等现实界的理想，如种种国际性的联合组织或统一组织，方可冀其渐次实现。那非可一蹴而至，但无论道路多么悠远，希望多么渺茫，舍从此基地前进，亦别无其他途径可循。”这本小书的用心与之同。“多”通于“一”，用《哲学家的小王子》的概念，靠的就是以“驯养”来通达。“驯养”（apprivoiser）这个词在翻译家看来有忠实原文和儿童理解等多方面的考虑，以我粗浅的理解，汉语当前用法的好处是通俗，上通学理，下通民心，没有用哲学的帽子吓跑很多人。

梵澄先生说：“精神哲学属于内学，内学首重证悟。”（《玄理参同》序）人类文明璀璨绚烂，但需要特定的打开方式，要从“正事”去印证。需要“艮其背”的勇气和定力，读者选择书，书也选读者。《哲学家的小王子》是一本真诚面对自己就能够读懂的书，读者需要一定的钝感和慧力，不惧怕专业性的“黑话”。梁剑兄这本书呈现的恰恰是把不太好懂的“黑话”转化为“易则易知，简则易从”的行动之道。但这也不意味着这是一本现成就容易读的书，因为作者以中西印三大文明作为游戏的空间，以精神进化为主旨，图写了一幅生动的学术山水。不过，没有专业的训练也无妨，读书的兴趣不如从触动处进入、卧游，因为在“正事”里，心火向来自明，从来没有哪本应该作为读书开端。

书中妙处随处可见，诸如伦理学、数学、语言等，发旧学，引新思，方便入门，又可证道，展能动情明理，掩可深思体悟，想必读者会与我有共鸣！

由衷赞叹又多了一本养护心志、雅俗共赏的好书！

遵梁剑兄嘱，略赘数语以呈。

甲辰端午于蓬屋

1

遇见

日凿一窍，七日而浑沌死。

——《庄子·应帝王》

一

很多人在小时候就读过《小王子》，一部近乎家喻户晓的童书。据统计，它被翻译成三百八十多种语言。在中文世界，它的译本极多。在西方，它的流传之广仅次于《圣经》。不过，和古老的《圣经》比起来，《小王子》的历史要短暂得多。它首版于1943年，出自一人之手，即法国传奇作家圣埃克絮佩里。

对我来说，初识《小王子》的感动记忆犹新。我直到二十几岁才读到它，算是相当迟的相遇了。大学毕业后，我留在华东师范大学读研究生。几位同学在上海找了工作，都舍不得离母校太远，就在长风公园附近合租了一套房子。那年中秋节，大家到这几位同学合租的房子里聚会。这时，我看到房间里有本书，便随手翻阅。那是周克希先生翻译的《小王子》。[①] 那时的我自然已经不是小孩了，但依然被《小王子》简约而深刻的美丽深深打动。情动于中，不觉发乎其外，写下了一篇文字，题曰《月色

① 参见［法］圣埃克絮佩里：《小王子》，周克希译，上海译文出版社，2009年。这是一个中法英三语对照版。下引《小王子》，主要使用这一版本。

皎洁，星光灿烂》：

月色皎洁。我轻轻地合上书，靠着窗户仰望夜空。一轮孤月是墨色夜空唯一的亮点。这时，只是在这时，我分外真切地看到了星光灿烂。我闭上眼睛，深情凝视着感激之情在胸中涌荡。

中秋之夜，我在读一篇童话，一篇写给大人的童话。

大人什么都能懂，甚至连给孩子看的书都能懂。

然而，对于童话，不是每个大人都能懂——每个大人肯定不是在每个时候都能懂。

大人需要“回蒙”，如同小孩需要“启蒙”。

我来给大人说说小王子的故事。

小王子来自《小王子》。《小王子》说，小王子来自 B612 号小行星。对于 B612 小行星的编号来历，《小王子》有一五一十的介绍——之所以这样做，“完全是为了大人”。“那些大人就喜欢数字。……你要是对大人说：‘我看见一幢漂亮的房子，红砖墙，窗前种着天竺葵，屋顶上停着鸽子……’他们想象不出这幢房子是怎样的。你得这么跟他们说：‘我看见一幢十万法郎的房子。’他们马上会大声嚷嚷：‘多漂亮的房子！’”

有纯洁而深沉的忧郁和淡得化不开的哀愁伴随

着小王子,《小王子》和我。当我通过《小王子》接近小王子的时候，犹如在清冷的月光下漫步草原。一切都是极纯净的，却似乎有声音来自宇宙的深处，摄人心魄。

B612号小行星很小。在它上面，只要挪动几步就能够追赶日落。小王子喜欢欣赏夕阳的余晖。有一天，他看了43次的日落。

“你知道……一个人感到非常忧伤的时候，他就喜欢看日落……”

小王子终于离开了他的小行星——以及小行星上的那朵花。

小王子拜访了几个小星球，然后来到地球上。有一天，他看到一座美丽的玫瑰花园，伤心极了：里面的五千朵花都长得和他的花一模一样！以前他的花儿跟他说过，她是整个宇宙中独一无二的花。

狐狸出现了，跟小王子“处熟”了。“处熟”是什么意思？小王子也这样问过狐狸。后来他明白了：正因为他跟他的花处熟了，他的花根本不像玫瑰花园里的五千朵。她是独一无二的。

狐狸是位智者。我把他告诉小王子的秘密记在下面：

本质的东西用眼是看不见的。

正是你为你的玫瑰花费的时光，使你的玫瑰变得这么重要。

对你处熟了的东西，你永远负有责任。

合上书的时候，我已经跟小王子处熟了。望着夜空，我知道他借了蛇的帮助，必定已经回到了老家——璀璨群星中的一颗。

在大学的一次哲学课上，童世骏教授辨析“哲学家”与“哲学工作者”，令我至今记忆犹新。当然，由于教师与学生记忆的不对称性，童老师估计不记得那次课吧？老师平平常常地讲，学生平平常常地学。不过，倘若机缘巧合，某时，老师某一句平常的话可能就会点亮学生的生命，而那个时刻也就从平平淡淡的日常生活中绽出，成为日后不断向之回返的独一无二的神圣而永恒的瞬间。

遇见《小王子》，也有这种奇妙的“到时”体验。

二

人们需要用很多标签来标识圣埃克絮佩里的身份，其中最重要的，可能是“作家”与“飞行员”。他属于人类第一代专业飞行员，在飞行装备还非常简陋的情况下从事开辟新航线的工作。人类在新的高度和雨雪风雷、星辰大海、天空大地打交道，在冒险的事业中获得了前所未有的新体验。偏巧圣埃克絮佩里是天生的作家，他把人类的新体验融入了文字。

它是一部童话，其简约而深刻的美丽深深打动了很多人。不过，作为童话的《小王子》一点不幼稚。相反，其文简，而其义丰，具有丰厚的哲学意蕴，很耐读。圣埃克絮佩里是飞行员，是作家，也是哲人。

除了《小王子》，圣埃克絮佩里还写了《南方邮航》《夜航》《人类的大地》（《风沙星辰》）《空军飞行员》《要塞》（《城堡》）等小说。[①] 他的夫人龚苏萝（Consuelo de Saint-Exupéry）回忆说，写作《夜航》的时候，圣埃克絮佩里跟她说："我现在正在写一本书，都是些个人体验。"[②] 圣埃克絮佩里的作品或多或少带有自传色彩，《小王子》也不例外。他说，自己不是职业作家，"不能谈我没有经历过的事情。我要倾注我的全部去表达，甚至可以说，去让

① 可参见［法］圣艾克絮佩里：《云上的日子》，黄荭等译，上海人民出版社，2008 年；［法］圣埃克苏佩里：《圣埃克苏佩里作品》，马振骋译，人民文学出版社，2021 年。

② ［法］龚苏萝·德·圣埃克絮佩里：《玫瑰的回忆》，黄荭译，上海译文出版社，2002 年，第 63 页。

自己有思考的权利”[①]。职业作家，以写作为专业，也许不免有为写作而写作的时候，不免在写作时还看到同行看自己的眼光。而且，职业作家也许还可以超脱自己的文字。在他那里，写作和生命可以是两回事。与之相比，“业余”写作的好处在于，我以我手写我心，文字从我的生命中自然流溢而出。[②]

《小王子》中的“我”是一名飞行员，现实生活中的圣埃克絮佩里也是一名飞行员。“我”因飞机故障降落在撒哈拉大沙漠，现实生活中的圣埃克絮佩里也经历了几次刻骨铭心的沙漠险情。1926 年 2 月，圣埃克絮佩里和同事里盖勒飞卡萨布兰卡—达喀尔航线，飞机坠毁在撒哈拉沙漠。同事吉约梅驾驶的另一驾飞机先将里盖勒接走，圣埃克絮佩里孤身一人在沙漠中待了一个晚上。1935 年底，圣埃克絮佩里购买了一架飞机，和机械师普雷沃一起从巴黎起飞，试图打破巴黎—西贡飞行纪录。不幸，飞机坠毁在利比亚沙漠（撒哈拉沙漠东北部），两人被

---

① ［法］龚苏萝·德·圣埃克絮佩里：《玫瑰的回忆》，第 63 页。

② 金岳霖（1895—1984）是中国现代著名哲学家。而且，他的哲学著作，如《知识论》《论道》，专业化程度很高，一般读者难以接近。不过，有意思的是，金岳霖深刻指出了哲学专业化的弊病。他说，现代社会中，哲学成为一个知识门类，哲学家可以研究哲学却不用哲学，这让世界失去了绚丽的色彩。

困四天之后获救。

我们在小王子身上也可以看到作者的影子。斯泰西·希夫（Stacy Schiff）在《小王子的星辰与玫瑰：圣埃克苏佩里传》中便写道："在《小王子》中，小王子独自留在他的星球上，每天早上小心翼翼地给他的玫瑰浇水，而圣埃克苏佩里则是在里奥德奥罗尽职尽责地烘干他的飞机，这两者之间的关联尤其紧密。"①

当然，真实与虚构交错，故事中的人与事和现实世界并非一一精确对应。重要的不是故事符合现实的真，而是故事中的真，以及与真相应的理。②

三

好书有不同的种类。有些好书让我们废寝忘食，只想着一口气读完。有些好书则让我们掩卷深思。

① ［美］斯泰西·希夫：《小王子的星辰与玫瑰：圣埃克苏佩里传》，李宁译，译林出版社，2021年，第18页。

② 金岳霖、D. 刘易斯（D. Lewis）专门讨论了小说中的真。参见金岳霖：《真小说的真实性》，《金岳霖全集》第六卷，人民出版社，2013年，第539—568页；David K. Lewis，"Truth in Fiction"，*Philosophical Papers*，Oxford：Oxford University Press，1983，Vol. I，pp. 261 - 275。相关讨论亦可参见张文琴：《论小说中的真？——从可能世界的视角看》，载《哲学分析》2015年第4期。

它们迫使我们不时抬起头来。[①] 或许，目光只有从书本移开，才能投向世界的深处，投向自身的生命深处。[②] 这样的书，没有办法读得快，更没有办法一口气读完。这样的书，让我们平心静气，慢慢读，慢慢想。想问题本身，不去想问题之外的事，比如，多认得几个字，考分高一点，思维能力强一些，诸如此类。

本质的东西用眼是看不见的。

《小王子》需要细细品，用心感悟。《小王子》的文字浅白晓畅，小朋友读起来似乎也没有文义上的障碍。不过，奇妙之处，就是大人也能从中读出很多东西。更奇妙的是，我们似乎可以不断地从中读出新的东西。这不由让人想到宋代思想家程颐阅读《论语》的体会："读之愈久，但觉意味深长。"《论语》是经典，《小王子》也是经典。

---

① 罗兰·巴特（Roland Barthes）："读书之际，不时中辍，非因兴味索然，恰恰相反，乃由于思绪、兴奋、联想翩然而至，此景未曾降临您身吗？一句话，您不曾抬头而读吗？"（［法］罗兰·巴特：《S/Z》，屠友祥译，上海人民出版社，2016 年，第 1 页）

② 巴塔耶（Georges Bataille）写道："叙事，小说，剥揭了人生的重重真相，每一个人或多或少皆心悬其上。惟有此类叙事，人若时时出神阅读，便处于直面自身命运的境地。"（［法］巴塔耶：《天蓝色》序言，参见［法］罗兰·巴特：《S/Z》，第 343 页）崔宜明先生论庄子："庄子渴求自由的生命情怀两千多年来支撑起无数真诚的灵魂，庄子安命不争的人生态度两千年来又是吞噬灵魂的历史深渊。"（崔宜明：《生存与智慧：庄子哲学的现代阐释》，上海人民出版社，1996 年，第 9 页）

经典是历久弥新的书，余味无穷，回味无穷。但经典之味需要细细品味才能出来。“意味深长”的要点就在于“味”。程颐也提示，品读的关键是“品味”“玩味”。品读一本好书，平其心，易其气，将心力投注其中，涵泳往复，从容含玩，慢慢地，自然会品出书中的味道。

圣埃克絮佩里说道：“只有书籍带来的智慧才是一切，而智慧不包含在墨水与纸张中。”[①] 诚哉斯言。我们透过笔墨符号把握文义，又透过文义把握书中的味道；与此同时，书中的味道透过文义、透过笔墨带给我们智慧，涵养我们的气质，转化我们的品味，提升我们的生存境界。“玩”味，“品”味，通过“玩”、通过“品”，味道才能出来；味道出来之际，也意味着主体成为有品有味之人。[②] 程子有言：“如读《论语》，未读时是此等人，读了后又只是此等人，便是不曾读。”读《论语》是如此，读《小王子》也可以是如此。

借用《小王子》中的一个关键词来说，细读《小王子》，乃是驯养（apprivoiser）《小王子》，跟它相要好。

---

① ［法］圣·埃克苏佩里：《小王子心灵之旅》，刘津译，群言出版社，2006 年，第 116 页。

② 贡华南教授写到：经典之味“来来回回起作用”，并且在这个过程中“不断拓展着由‘味者’（物）与‘品味者’（人）所共同融合而成的生命空间”。（贡华南：《味与味道》，上海人民出版社，2008 年，第 79 页）

四

《小王子》很耐读。内容自不必说，就连它的章节安排（甚至各章作者手绘插画的多寡）也颇耐人寻味。或许我们有过这样的经验：有些东西似乎很难利用文字的语义表达出来，但可以借助文字的编排结构得以“形式显示”。[①]

《小王子》全书分为 27 章。作者采用第一人称的视角讲述小王子的故事。“我”是一名飞行员，而小王子的故事也是一个关于“飞”的故事，一个想飞的故事。有人说，《小王子》是一部关于“飞”的

① 一般说来，章节安排属于形式，服务于语义内容的表达。在作者那里，这样的形式或有显隐程度的不同：隐者，处于辅助意识或无意识之域；显者，作为一种独立于语词语义之外的、自觉加以运用的表达手段。因此，相对于作者意图，形式显示有显隐之别。形式显示总有隐的成分。毕竟，“我们关于世界的意识，不在我们的意识对象范围内”（［美］阿瑟·丹托：《寻常物的嬗变——一种关于艺术的哲学》，陈岸瑛译，江苏人民出版社，2012 年，第 163 页）；不过，无论隐显程度如何，对形式显示的分析有助于揭示文本的意义（此意义有可能超乎作者本意）。顺便说一下，“形式显示”这一说法，笔者也许得自维特根斯坦（Ludwig Josef Johann Wittgenstein）《逻辑哲学论》：我们绘制事实的图像（2.1）；图像有其摹绘实在的形式（2.17）；但图像不能摹绘它的摹绘形式，而是显示它（2.172）。但也可能是笔者早年阅读海德格尔（Martin Heidegger）《形式显示的现象学》留下的印记，这本书的中译者是笔者敬重的哲学家孙周兴先生。

经典作品。[①]《小王子》，写作《小王子》的圣埃克絮佩里，俱往矣，其逝也邈邈。然则，往事并不如烟，《小王子》，写作《小王子》的圣埃克絮佩里，还有那种想飞的念头，逝而不失。

《小王子》中的“我”因飞机故障降落在撒哈拉大沙漠，遇到小王子，经过五天相处，逐渐了解了小王子的来历（第 1—8 章）。第 9 章讲述小王子同他的玫瑰告别，飞离 B612 小行星。这是全书的第一个小高潮，小王子第一次碰到思想危机，也是第一次离开处熟的人。

接着，小王子游历六颗小行星，依次拜访国王、爱虚荣的人、酒鬼、商人、点灯人、地理学家（第 10—15 章）。最后，小王子飞临地球（第 16 章），和蛇对话（第 17 章），穿过沙漠只见到一朵花儿（第 18 章），攀上高山听自己孤独的回声（第 19 章）。在一座玫瑰盛开的花园，小王子发生了新的思想危机：他的花儿不再是独一无二的了（第 20 章）？这时，狐狸出现了，跟小王子“处熟”了。狐狸帮助小王子领悟他的花儿为什么是独一无二的，以及他对于她的责任（第 21 章）。第 21 章是全书的高潮，篇幅很长（全书中能与之比拟的只有描述小王

---

① ［美］斯泰西·希夫：《小王子的星辰与玫瑰：圣埃克苏佩里传》，第 535 页。

子离开地球的第 26 章），义理最为密集（核心观念如“驯养”“独一无二”“责任”等于此集中呈现），而且也是小王子第二次离开已经处熟的人，即狐狸。

第 22、23 章寥寥数笔，描述开悟之后的小王子在地球上继续游历，分别跟扳道工、卖复方止渴丸的商人对话。第 24、25 章重新接上第 8 章的第一人称叙事，讲述“我”和小王子在沙漠上的相处，找到了水井，也明白了小王子回到沙漠是为了寻找那条他最初降落时遇到的蛇。第 26 章是小王子试图凭借蛇的帮助飞回到他的花儿身边的凄美故事。小王子将肉体交付小金蛇以求得灵魂的飞升。（这让我们想起浮士德以灵魂为赌注跟魔鬼订约。）作者用深情而克制的笔墨描写了对于小王子离开的不舍。花、水、蛇、狐狸、星星，众多意象与主题在此章一一复现，达到新的高潮。从这一章回头看，我们读懂了第 17 章小金蛇所说的一句像谜似的话：“哪天你要是想念你的星星了，我可以帮助你。”从这一章回头看，我们明白了，小王子离开已经处熟的狐狸是为了回到他的玫瑰身边，这是因为责任，因为爱，也因为小王子自己。不过，回到 B612 小行星，同时又是小王子第三次离开已经处熟的人，即飞行员“我”。

最后一章，虽然过了六年，但是“我”仍然牵挂着小王子是否已经回到他的小行星，牵挂小绵羊会不会挣脱口罩吃掉花儿。

我们的小王子有没有回去？

早知要回去，最初何必要离开呢？

“本质的东西用眼是看不见的。”（第 21 章）

五

《小王子》，小朋友喜欢看，大人也喜欢看。如果大人跟小朋友一起看，将会有更大的乐趣呢！共读一本书，讨论共同感兴趣的话题，共度的时光让大人和小孩拥有一个共同的世界。这是多么美妙的事啊！

什么是“驯养”“独一无二”“责任”“友谊”“拥有”“正事”……？这些都是开放的大问题。面对这些开放的大问题，大人和小孩都是渺小的、无知的，因而也是平等的。大人以平等的心态和小朋友共读绘本，摆脱说教的习惯，呵护小朋友的好奇心，同时也让小朋友的好奇心激发自己的好奇心，哪怕它处于休眠状态。大人也可以一直保持孩童的纯真，就像《小王子》中的“我”一样，一直保留着六岁时的画作。

有人说，教育的本质是一棵树摇动另一棵树，一个灵魂唤醒另一个灵魂。我相信，大人和小孩一起共读《小王子》的话，将是这样一番情形：大树摇动小树，小树也摇动大树；大人的灵魂唤醒小朋友的灵魂，小朋友的灵魂也唤醒大人的灵魂。“孩子只是牵了你的手谆谆教育你的人。”① 像在非洲沙漠中，已是成年人的“我”跟小王子相要好了。在临别之际，小王子对“我”说，你会永远是我的朋友。而在这之前，小王子把“我”从孤独的成年人的世界里拯救出来，让“我”从检修飞机拧螺钉的正事中惊醒过来。

“重要的东西是看不见的……”（第 26 章）

① ［法］圣埃克苏佩里：《要塞》，载［法］圣埃克苏佩里：《圣埃克苏佩里作品》，第 524 页。

2

回返

夫物芸芸，各复归其根。

——《老子·十六章》

一

《小王子》讲了一个关于出离与回返的故事。

小王子跟他的花儿处熟，又跟他的花儿告别；他跟狐狸处熟，又跟狐狸告别；他跟飞行员处熟，又跟飞行员告别，以便回到他当初告别的花儿身边。小王子驯养了狐狸，然而，正因为狐狸所讲的驯养的道理，小王子必须离开狐狸。经由出离而回返，这正是成长的吊诡之处。《老子·四十章》云："反者，道之动。"出离是为了更好地回返。

我们的小王子有没有回到他的小行星，回到他的花儿身旁？

这同时也是一个关于飞行员"我"的出离与回返的故事，或者更一般地说，一个关于成年人出离童年而返回童年的故事。在《小王子》中，成年之后的"我"一直珍藏着作品1号，六岁时所绘的平生第一张画，一条正在消化大象的蟒蛇——而在大人的眼中，它只是一顶帽子（第1章）。成年之后的"我"一直尝试寻找能看懂画的大人，屡试屡败，又屡败屡试。"要是碰上一个人，看上去头脑稍许清楚些，我就拿出一直保存着的作品1号，让他试试看。我想知道，他是不是真的能看懂。"（第1章）懂，不是一件容易的事。世间知音难觅，“我”一直“没有一个真正谈得来的人”（第 2 章）。“我”几乎已经不再指望有大人能看懂作品 1 号了。但是，“我”还是在飞机失事的时候意外地碰到了能看懂的小王子。“我”最终活着从沙漠回到了同伴身边。同伴们都很高兴，没有觉察到“我”很忧伤。小王子是否已经以自己英勇决绝的方式回到他的星球，回到他魂牵梦萦的玫瑰身边？这将是萦绕“我”终身的牵挂。经过与小王子相遇，归来的“我”已不是当初离开时的“我”。“我”跟自己的童年、跟周遭的世界达成了某种和解。经过与小王子相遇，“我”不再“孤独地生活着”（第 2 章）。童年时所作的作品 1 号有人懂了，不被理解的童年创伤被治愈了。

经过与小王子相遇，“我”更好地回到了“我”的童年。在这里，不是大人教育小孩，而是小孩教育大人、帮助大人成为更好的自己。“孩子只是牵着你的手谆谆教育你的人。”[①]

二

小王子让我们感受到童年的珍贵。“本质的东西用眼是看不见的。”（第 21 章）

① ［法］圣·埃克苏佩里：《小王子心灵之旅》，第 54 页。

在孩童眼中重要的东西，“而没有一个大人懂得这有多重要呵！”（第27章）所有的大人起先都是孩子，可是，他们中间不大有人记得这一点。当然，也有例外。《小王子》题献给了作者的好友莱翁·维尔特（Léon Werth），一位大人。为什么要献给一位大人呢？作者解释说：“这个大人什么都能懂。即使是给孩子看的书他也懂。”

孩童生活在本真状态，从小孩到大人，与其说是成长过程，倒不如说是失落人之本真状态的退化与异化的过程。

孩童纯真无邪，其心智与生存样态看似浑沌未开，却令成年人深深为之动容和着迷。尼采（Friedrich Wilhelm Nietzsche）在《苏鲁支语录》中用“婴孩”标识人类精神演变的最高状态：由骆驼而狮子，由狮子而婴孩。骆驼的特征是忍辱负重，退避，诚敬。狮子具自由之精神，会说“我要”，怀疑义务，怀疑现有价值的合理性。那么婴孩呢？苏鲁支自问自答：“婴孩又何以能狮子之所不能呢？何以猛悍的狮子必化为婴儿呢?”“婴孩乃天真，遗忘，一种新兴，一种游戏，一个自转的圆轮，一发端的运动，一神圣的肯定。”[①] 婴孩意味着创造新价值，以

① ［德］尼采：《苏鲁支语录》，徐梵澄译，商务印书馆，1992年，第21页。“苏鲁支语录”如今通行的译法为“查拉图特斯拉如是说”。

自我的意志创造属于自己的世界。精神之三变，正是逐渐摆脱精神上的奴性而自做主宰的过程。

中国传统思想也不乏对童心的颂扬。作家傅月庵为香港中文大学周保松教授所写的《小王子的领悟》作推荐语，便引了龚自珍的诗句："瓶花帖妥炉香定，觅我童心廿六年。"明儒罗近溪、李贽分别表彰"赤子之心"与"童心"。而在先秦时期，居主流的儒道两家都重视赤子或婴儿。如《老子・二十八章》："知其雄，守其雌，为天下谿。为天下谿，常德不离，复归于婴儿。"《老子・五十五章》："含德之厚，比于赤子。"《孟子・离娄下》："大人者，不失其赤子之心者也。"尽管儒道二家所理解的赤子之心或赤子之德在具体内涵上不无差异，但他们都以孩童或婴儿意象表达人类生存的理想样态。[①]

孩童、大人，自然不完全是年龄的问题。李大钊说："青年与老人的分别，不在年龄而在精神。"[②]《小王子》中的"我"，那位一直珍藏着作品1号的飞行员一直没有"长大"，因为他一直保持着孩童之心。当然，有时候他也会迷失自己，表现出一

① 关于儒道"赤子"隐喻之别，可参见拙文：《"身家国天下"意象与中国政治的当代转化：一项哲学语法考察》，载《华中科技大学学报》2019年第4期。

② 李大钊：《〈国体与青年〉跋》，载《李大钊全集》第二卷，人民出版社，2006年，第265页。

个"大人"的样子。比如，那天，"我正忙着要从发动机上卸下一颗拧得太紧的螺钉"，不耐烦地打断不依不饶追问绵羊会不会吃花儿的小王子："行了！行了！我什么也不认为！我只是随口说说。我正忙着干正事呢！"不过，"我"毕竟还是能够很快意识到自己错了，回返到把大人所理解的"正事"丢在脑后的孩童状态（第7章）。《老子》云："反者，道之动。""常德不离，复归于婴儿。"

三

从孩童到大人，失落了本真状态。然而，孩童不也需要长大吗？小王子经由出离而回返，这又何尝不是小王子的成长历程？在此，孩童与大人形成了小大之辩。

《威廉·迈斯特的学习时代》是歌德（Johann Wolfgang von Goethe）晚年所写的一部有名的成长小说（Bildungsroman）。[①] 主人公威廉·迈斯特通过

① 稍晚于歌德的德国大哲黑格尔（Friedrich Hegel）写了一部《精神现象学》，系统阐述绝对精神的演化历程，不妨将其理解为一部以绝对精神为主角的成长小说。2011年，宗教社会学家罗伯特·贝拉（Robert Bellah）出版《人类进化中的宗教：从旧石器时代到轴心时代》（*Religion in Human Evolution*：*From the Paleolithic to Axial Age*），萧阳教授称之为"一部真正意义上全球范围内的关于人类精神的教化小说"（Xiao Yang, "The Bildungsroman of the Heart：Thick Naturalism in Bellah's （转下页）

漫游（Wanderung）而得到了提升（Erhebung）。相形之下，小王子的漫游乃是一种在星际、在宇宙的大尺度上展开的气势恢宏的壮游。

孩童拥有弥足珍贵的童心，然而，童心是活的，是充满生机的，是具有无限生长可能的，它并非生而俱足、生而圆满，而是需要在社会化的过程中得以澄明。在与他人处熟、建立亲密关系、驯养他人的过程中获得必要的社会性（sociability），这正是孩童成长的重要机制之一。社会性一体而两面。就消极面来说，我们有可能在社会关系中迷失童心。针对这一点，我们需要庄子"吾丧我"的智慧，因为人不只是社会关系的总和。但另一方面，社会性乃是人之为人的积极建构要素。小王子的成长离不开星际壮游，离不开和不同的人打交道，离不开与狐狸、与"我"建立亲密关系。曾子曰："吾日三省吾身——为人谋而不忠乎？与朋友交而不信乎？传不习乎？"李泽厚由此引申说："人处于'与他人共在'的'主体间性'之中。"①

正是在出离的过程中，小王子游历各地，结识蛇、狐狸、飞行员，领悟世间的良好生活之道，如

（接上页） Religion in Human Evolution." In *Confucianism, A Habit of the Heart: Bellah, Civil Religion, and East Asia*, ed. by P. J. Ivanhoe and Sungmoon Kim, Routledge, 2016, p. 194)。

① 李泽厚：《论语今读》，中华书局，2015 年，第 8 页。

友谊、爱情、责任，其中的核心则是驯养之理。与此同时，自我也就在此过程中得到了更好的认识和提升。我在世界之中，世界因我而在，而我因世界而成。只有经过这番出离，小王子才能更好地回到他的花儿身边。当然，这也是更好地回到自己身边。寻寻觅觅，最珍贵的东西远在天边近在眼前。然而，生命的吊诡在于：只有踏破铁鞋去天边，才有可能有朝一日机缘来临，蓦然回首，发现那近在眼前的珍宝。宋代茶陵郁禅师在一次过桥摔跤时开悟，作偈云："我有明珠一颗，久被尘劳关锁。今朝尘尽光生，照破山河万朵。"

郁禅师开悟的机缘是过桥摔了一跤；小王子开悟的机缘，则是在他面对五千朵盛开的玫瑰怀疑人生之时碰到了狐狸。"就在这时狐狸出现了。"第 21 章以此开篇，意味深长。"这时"（then，alors），小王子原先的世界观崩塌了，只有心灵的根本转化才能拯救他。小王子做好了心灵转化的准备。恰恰就在"这时"，狐狸出现了，它的睿智、柔情和付出帮助小王子重新理解何为"独一无二"，并以此为枢纽实现了心灵的转化和世界观的重建。《中庸》有言："君子而时中。"就真理而言，一方面，作为内容的真理需要时中，即合乎具体的情境；另一方面，对真理的把握和领悟也需要特定的适宜的情境。同样的真理，也许过去也曾出现在我们面前，但“那时”我们对它毫无感知。只是在“这时”，诸缘具足，我们才真切地看见它的真理性；只是在“这时”，真理才作为真理向我们呈现。“采菊东篱下，悠然见南山。”陶渊明的这一名句中，“见”字既是看见之见，亦是显现之现。我悠悠然抬头看见南山，南山在我抬头之际悠悠然向我显现。

但是，孩童为什么需要长大呢？[①] 这是一个问题。虽然长大是一个自然过程，但对于人来说，这个自然过程同时也是人的觉醒；而且，这个自然过程需要人的觉醒。正是在后一意义上，我们可以说，孩童需要长大。

人的觉醒包括对人自身之“大”的领悟。圣埃克絮佩里在《要塞》中写道：“如果你从时间的停留与阶段的不同看待人，你对人会一无所知，就像对树一样。树不是种子，也不然后是枝干，然后是弯曲的树干，然后是枯木。绝不应该把它分割来看。树，是慢慢伸向天空的力量。就像你，我的孩子。神使你出生，使你长大，让你逐渐有了欲望、遗憾、欢乐、痛苦、愤怒和原谅，然后又使你回归于他。可

① 大人也需要长大。罗姆巴赫（Heinrich Rombach）引了一个故事。有一个与K先生久未碰面的人，用下述的话问候他：“您与以前毫无变化。”“哦！”K先生说道，黯然失色。（[德] 罗姆巴赫：《结构存在论：一门自由的现象学》，王俊译，浙江大学出版社，2015年，第64页）

是你不是这个小学生、这个丈夫、这个孩子、这个老人。你是那个在自我完善的人。如果你懂得发现自己是长在橄榄树上一根匀称的树枝，你会在摆动中体验到永恒。你的周围的一切也会是永恒的了。你祖祖辈辈饮用的淙淙泉水是永恒的，爱人向你微笑时眼中流露的光芒是永恒的，黑夜的清凉是永恒的。时间不再是一个磨蚀沙粒的沙漏，而是捆扎麦子的收割者。”[①]

圣埃克絮佩里通过树领悟人自身之“大”，体验生命的整体性。（这是人对树的领悟，不是树的领悟。树不会、也不需要这样的领悟。）整体性，首先是个体生命由生到死不断完善的活的整体结构；进而，则是自然大道贯通万物生命的整体大结构。一草一木，一分一秒，皆是完整体现自然大道的环节。

圣埃克絮佩里的体验和荷尔德林（Friedrich Hölderlin）的领悟颇为相契。荷尔德林的诗发现了人与自然交互的大结构（Megastruktur）。以此大结构观之：“每一棵树、每一条河、每块土地都显现为一种‘天生之物’‘最高神的儿子’‘唯一者’。因此，莱茵河、城市、‘榆树’、时代都能够被赞颂。在诗歌中，所有一切都彻底地在存在者层次上被领会了，被领会成一幅至高者的‘境象’（Bild），在这

① ［法］圣埃克苏佩里：《要塞》，第 431－432 页。

里境象恰恰不意味着映像（Abbild），而是在每个存在者之中的通透的存在方式、整体的实在现前(Realpraesenz)。”①

身处西方文化传统的圣埃克絮佩里领悟到“神的大循环”②。倘若身处禅宗传统，圣埃克絮佩里也会领会到：青青翠竹，尽是法身；郁郁黄花，无非般若。倘若身处道家的传统，他定会领悟自然，领悟道，体验万物从之出而向之归的根。“夫物芸芸，各复归其根”。“根”不是固定的死物，而是活力之源；“其根”之“其”，既是“各”物具体之根，又是贯通于“各”物具体之根的道，也就是自然。道成为“其”根，物将道据为己有。“各”物于每一时刻复归其根。道不是贯通“各”物或万物的某物，道是那贯通本身。③ 倘若身处儒家的传统，圣埃克絮佩里定会像王船山那样领会天亲合一，从自己父母亲身上体悟乾坤之德，由亲亲而仁民，由仁民而爱物。“鸢飞戾天，鱼跃于渊。”鱼跃于渊，尽是天道；鸢飞戾天，无非流行。

---

① ［德］罗姆巴赫：《从一到非它的六个步骤》，载［德］罗姆巴赫《作为生活结构的世界：结构存在论的问题与解答》，王俊译，张祥龙、朱锦良校，上海书店出版社，2009 年，第 148 页。

② ［法］圣埃克苏佩里：《要塞》，第 431 页。

③ “万物”“各物”，其涵义略有差别。“万物”语义焦点在物之整体，而“各物”的语义焦点在物整体之内部，“各”字凸显了每一物区别于另一物的独特性。可参见拙文：《古汉语全称量化用法析义》，载《南京师范大学学报》2022 年第 6 期。

3

懂不懂

子非鱼，安知鱼之乐？

——《庄子·秋水》

一　大人不懂小孩

“懂”是一件难事。且不说懂天命，懂别人就很难。

“在沙漠里真有点孤独……”小王子说。“在人群中间，你也会感到孤独。”蛇说。（第17章）

在地球上，小王子缠着人类飞行员追问：绵羊吃花儿吗？花儿费劲长出来的刺能保护自己不被绵羊吃掉吗？忙着检修飞机、处于关键时刻的人类飞行员不耐烦了：“行了！行了！……我正忙着干正事呢！”小王子愕然了，进而愤然了。小王子伤心极了，一口气说了很多话：

如果有个人爱上一朵花儿，好几百万好几百万颗星星中间，只有一颗上面长着这朵花儿，那他只要望着许许多多星星，就会感到很幸福。他对自己说：“我的花儿就在其中一颗星星上……”可要是绵羊吃掉了这朵花儿，这对他来说，就好像满天的星星突然一下子都熄灭了！这难道不重要吗！（第7章）

飞行员被深深打动了。他放下了原来的“正事”。锤子、螺钉、口渴、死亡，这些全都丢在脑后。现在唯一的正事，就是有个小王子需要安慰！他把哭泣的小王子揽入怀里，对他说："你爱的那朵花儿不会有危险的……"这是一幅多么动人的画面啊！我感动地哭了。平心而论，小王子沉浸在自己的世界里，他请飞行员帮自己画画，缠着他问一些因为缺乏必要的背景交待而让人摸不着头脑的问题——小王子没有把自己的心思说出来，也难怪飞行员不懂他了。对话交流是多么必要啊。小王子和他的花儿，彼此一片柔情，最后却不情不愿地彼此分离，这多多少少也是因为缺乏必要的对话交流吧。

飞行员懂得小王子的心思。大人为什么不懂孩子？"所有的大人起先都是孩子（可是他们中间不大有人记得这一点）。"飞行员是大人了，可他一直有一颗小孩的心呢。是小王子把他或偶被遗忘，或常加掩蔽的孩童面向激活了。"孩子只是牵着你的手谆谆教育你的人。"①

飞行员一直记得童年，一直带着小时候画的作品1号。他三十岁时告诉母亲：在他看来，童年记忆的世界永远比现实的成人世界更真实。"被波德莱尔称为天分的能力——随意寻回童年——证明既是

① ［法］圣·埃克苏佩里：《小王子心灵之旅》，第54页。

一种诅咒，又是一种祝福。”[①] 在成人的世界里，飞行员非常孤独。没有人能看懂作品1号。“直到他遇到小王子，另一个世界的使者，在那个世界里，孩子们可以思考严肃的问题，同时保持童真并且无须付出任何代价。”[②]

二 你不懂我

《庄子·秋水》里有一个“濠梁之辩”的故事讨论了“懂”的问题。庄子和惠施是好朋友，有一天俩人一起在濠水的桥上游玩。庄子说：鱼儿在水里悠游自得，真快乐啊！惠施不以为然：“子非鱼，安知鱼之乐？”你不是鱼，怎么懂得鱼是快乐的呢？庄子反驳说：“子非我，安知我不知鱼之乐？”你不是我，怎么懂得我不懂得鱼的快乐？惠施顺着庄子的逻辑反驳庄子：“我非子，固不知子矣；子固非鱼也，子之不知鱼之乐，全矣。”我不是你，固然不懂你；你也不是鱼，所以你显然也不懂得鱼的快乐。

惠施的反驳是有力的。善言的庄子只好耍起了

① ［美］斯泰西·希夫：《小王子的星辰与玫瑰：圣埃克苏佩里传》，第53页。

② ［美］斯泰西·希夫：《小王子的星辰与玫瑰：圣埃克苏佩里传》，第53页。

诡辩的招术："子曰'汝安知鱼乐'云者，既已知吾知之而问我。我知之濠上也。"在这里，庄子偷换概念：惠施质问庄子，"安知"表示"你怎么知道"；而庄子却把它曲解为"在哪里知道"。然后庄子回答说：我在濠水的桥上知道的啊。"在哪里知道"属于"如何知道"下面的一个问题，而"如何知道"以"能够知道"为前提。惠施本来想和庄子一起，对能知这件事加以专题反思，而庄子最后却把它作为不言而喻的预设接受下来了。庄子似乎回答了惠施的质问，但就哲学思考而言，他的回答"无疑弱化对认识过程的本原性追问和深层反思"①。

回过头来看，惠施似乎忽略了一件事：惠施不懂庄子，这是同类不相知；庄子不懂鱼，则是异类不相知。米兰·昆德拉（Milan Kundera）在《不朽》中写道："即便火星是只痛苦的星球，即便火星的石头痛苦得嚎叫，也不能使我们感动，因为火星不属于我们的世界。"② 仿照《庄子》的句法，我们可以说，吾人非火星石，安知火星石之痛？反过来，《不朽》也启发我们作出以下理解：庄子不可能知道鱼之乐，因为鱼不属于庄子的世界。

① 杨国荣：《庄子的思想世界》，华东师范大学出版社，2022年，第173页。
② ［捷克］米兰·昆德拉，《不朽》，王振孙、郑克鲁译，上海译文出版社，2015年，第329页。

不过，有小类，有大类。在一定的“类”的意义上，庄子和鱼固然不是同类，但是，如果扩大“类”的外延，庄子和鱼未尝不是同类。比如，庄子和鱼都属于生物类。庄子和鱼异类不相知，这是囿于人类中心主义才会碰到的问题。我跟着小王子在宇宙间游历，习惯于从宇宙的角度看事接物，花儿、其他小行星上的居民、地球上的人或小动物，皆我同类，皆可对话交流。如果将人、鱼视为同类，其实还有一个办法解决庄子与惠施的分歧：让鱼儿出场，问问他们是否快乐。来自第一人称视角的确证很重要。

然而，惠施所讲的同类不相知，却是我们时时碰到的难题。小王子之所以离开他的小行星，就是因为他不懂花儿的心思。后来，在地球上，他跟飞行员说起他的花儿：“我当时什么也不懂！看她这个人，应该看她做什么，而不是听她说什么。她给了我芳香，给了我光彩。我真不该逃走！我本该猜到她那小小花招背后的一片柔情。花儿总是这么表里不如一！可惜当时我太年轻，还不懂得怎么去爱她。”（第 8 章）

小王子懂得了花儿表里不如一。更一般地讲，他懂得了“表”与“里”的差别。“里”是爱意和一片柔情，花儿将“里”达之于“表”的言与行却是曲折的，让人捉摸不透的。只是在离别之际，花儿才直截了当地跟小王子说：“我爱你，但由于我的过错，你一点儿也没领会。”（第 9 章）如果说，“里”代表本质的话，那么，本质的东西用眼是看不见的。这是与小王子相要好的那只狐狸的教诲。

小王子后悔，当初为什么没有去懂得花儿的心思。去懂一个人的心思，需要放下自我，将心比心。本质的东西要用心看。

我觉得，虽然对于花儿，小王子悟出了这个道理，但他似乎并没有把这个道理推而广之，在待人接物的过程中时时加以运用。这不，他因为飞行员不懂自己的心思而委曲哭泣，因为大人不懂小孩的心思而伤心。或者，小王子还只是懂得一件事，而不是懂得一个道理。

三　你的世界，我的世界，我们的世界

小王子游历不同的星球，觉得爱“统治”的国王、喜欢被崇拜的爱虚荣的人、陷入逻辑怪圈的酒鬼、以数数为占有的商人都是怪怪的。他看不懂他们。这里的“懂”似乎是另一种意思，不同于小王子“懂”花儿的心思，或者飞行员“懂”小王子的心思。后两者既有理智上的理解，又有情感上的共情。小王子能够明白国王这些大人们古怪的逻辑或观点，

但不能认同之、接受之。

相形之下，小王子对于第五颗小小行星上的点灯人懂得更多一些。他敬重点灯人忠于职守。为什么把路灯熄灭呢?“这是规定。”为什么又点亮路灯呢?“这是规定。”（第 14 章）至于为什么要遵循规定，点灯人是无反思的。在他看来，“规定就是规定”，没什么要弄懂的。点灯人顺习而行，日出而作，日落而息。其人生境界，大概属于素朴的自然境界吧。[①] 虽然点灯人有点迂，但自有其可爱可敬之处。圣埃克絮佩里的小说《夜间飞行》描述了一个忠于职责的航线负责人里维埃。他也只欣赏准时，欣赏遵循规定。不过，他对于规定是有觉解的：准时飞行塑造飞行员的意志力；规定“就像宗教仪式，看似荒谬，却可以塑造一个人”[②]。

小王子尝试理解点灯、熄灯工作的意义。“他点亮路灯，就好比唤醒了另一个太阳或者一朵花儿。他熄灭路灯，就好比让这朵花儿或这个太阳睡觉了。”（第 14 章）他还给点灯人出主意：做逐日的夸父，因为行星很小，稍稍走得快点就能赶上太阳。

① 冯友兰（1895 — 1990）提出四境界说：一个人对人生意义的觉解程度不同，其人生境界依次分为四重，即自然境界、功利境界、道德境界与天地境界。

② [法] 圣埃克絮佩里：《夜间飞行》，缪咏华译，文汇出版社，2018 年，第 93 页。关于仪式，狐狸也说过一句意味深长的话：仪式“也是一件经常被忽略的事情”（第 21 章）。

我们的小王子有类似的经验呢：在他的B612小行星上，挪几步就能追上落日。这样的经验让他对点灯人的星球心生眷恋，对点灯人心生好感。比起地球，B612已经是很小了，每天可以看43次日落。但比起B612，点灯人的行星还要小很多，每24小时就有1 440次日落。

小王子游历诸星，见到国王、爱虚荣的人、酒鬼、商人、点灯人、地理学家。小王子遭遇了不同的世界。他能否进入这些不同的世界？不同的世界，都是具有正面价值的世界吗？

罗姆巴赫从他的“密释学”出发理解《小王子》，甚至认为《小王子》是“密释经验的最纯粹表达”(reinster Ausdruck der hermetischen Erfahrung)：“小王子也是隐密的密释学符号。作为一位世际漫游者(Weltenwanderer)，他从自己的小世界出发探访其他人的世界，发现每个人都有自己的宇宙。”[①] 每个人都有自己的宇宙，这个宇宙构成他的意义世界。这样的意义世界总有其幽隐不可知的面向，或者说，总有其封闭性。“当一个边界完全不通透的时候，我们称之为是密闭的。在这个意义上意义世界——并

① Heinrich Rombach, *Welt und Gegenwelt*: *Umdenken ueber die Wirklichkeit*: *Die philosophische Hermetik*（世界与反世界——重思实在性：哲学密释学）, Verlag Herder Basle, 1983, S.77.

且每个意义结构意味着一个自在的和整体上的意义世界——是完全密封地相互隔绝，它是如此密封，以至于这些隔绝的独立存在还没有一次能被经验为是具有相同意义的。”罗姆巴赫甚至说：“我与你的区别并不是你与我的区别！”[①] 我感受到我与你的区别，你感受到我与你的区别，虽然同样是区别，但并不是同样的区别。因此，面对他人世界，我们需要自知无知，并保持对其幽隐性的尊重。我们不能自诩理解他人世界，更不能将我的世界视为唯一正确的世界而强加于他人世界之上。世界是多元。

那么，这是否意味着他人世界是完全不可知的？非也。小王子从自己的小世界出发探访他人世界，这里的“出发”与“探访”都是具有积极意义的活动。“出发”意味着要努力打破自己世界的密闭性，让自己的世界向着其他世界开放。“出发”使得“探访”成为可能，而“出发”也需要“探访”来进一步展开。“探访”活动通过行动与言语与他人世界发生交涉。你的世界和我的世界有可能相互作用，生长出一个既属于我又属于你的共同世界，即我们的世界。当然，我们的世界并不意味着取消你的世界或我的世界。这样的世界如何生长出来？小王子从狐

① ［德］罗姆巴赫：《意义》，载［德］罗姆巴赫《作为生活结构的世界：结构存在论的问题与解答》，第 35 页。

狸那里懂得了以下道理：“照料（Besorgen）事物的特定方式乃是世界由此生长出来的基础。获得世界不是通过选择完成的，而是需要用心关注（eines sorgsamen Achten）和自己的创造性行动，此乃世界成长之主持分剂是也。”[①]“照料事物的特定方式”应该就是驯养吧？驯养需要用心关注，需要用心行动。王子驯养了他的花儿，花儿正是通过驯养才从不相干的花变成了他的花儿，而他也因此成为他的花儿的小王子。小王子与狐狸、小王子与飞行员，他们的关系亦复如是。生长出来的世界乃是共同世界。

① Heinrich Rombach, *Welt und Gegenwelt: Umdenken ueber die Wirklichkeit: Die philosophische Hermetik*, SS.77－78.

4

正事

人之生也，固若是芒乎？其我独芒，而人亦有不芒者乎？

——《庄子·齐物论》

一 因事而在

人在世界之中，通过知与行和世界打交道。在知的层面，我们认识世界，同时认识自己。在行的层面，我们既改造世界，又发展自己。

知，行，何者在先？这是一个千古聚讼的问题了。明末清初，王船山在批评程朱陆王的基础上，提出“知行相资以为用”[①]。不过，如果一定要在知、行之间分个先后的话，我们得说：“行可兼知，而知不可兼行……君子之学，未尝离行以为知也必矣。”[②]

在现代汉语中，“行”也就是“做事”。通过做事，人与世界发生现实的关联。一方面，现实世界生成于做事的过程；另一方面，人因事而在，人的存在活动展开为人做事的过程，而做事的过程反过来也是人展开自身、发展的过程。因此，对这个世界及人之存在的真切理解，离不开具有本源意义的做事。[③]

---

① 王夫之：《礼记章句》卷三十一，载《船山全书》第四册，岳麓书社，2011 年，第 1256 页。

② 王夫之：《尚书引义·说命中二》，载《船山全书》第二册，第 314 页。

③ 参见杨国荣：《人与世界：以事观之》，生活·读书·新知三联书店，2021 年。赵汀阳也提出“我行故我在”、以“行”为支点的说法（参见赵汀阳：《第一哲学的支点》，生活·读书·新知三联书店，2017 年）。

二　忙着干正事的大人是蘑菇

有各种各样的事。有小事，有大事。有正事，有余事。小王子对大人所理解的正事颇不以为然。“小王子对正事的看法，跟大人对正事的看法很不相同。”（第 13 章）“行了！行了！我什么也不认为！我只是随口说说。我正忙着干正事呢！”（第 7 章）飞行员的这句话勾起了小王子对于“大人”的回忆：

我到过一个星球，上面住着一个红脸先生。他从没有闻过花香。他从没望过星星。他从没爱过一个人。除了算账，他什么事也没做过。他成天像你一样说个没完：“我有正事要干！我有正事要干！”变得骄气十足。可是这算不得一个人，他是个蘑菇。（第 7 章）

看来，对正事的看法不是一件小事，它关系到一个人是否算得上是一个人（真正成为一个人，在人之为人的意义上合乎人的本质），还是其实不过是个蘑菇。孟子说：“人之异于禽兽者几希。”（《孟子·离娄下》）看来，人之异于蘑菇者，亦是几希。人禽之辨是中国传统哲学反复讨论的话题。而小王子在这里提出了人菇之辨。

说一个人只是个蘑菇而算不得一个人，这是什么意思呢？圣埃克絮佩里曾对“蘑菇”有一个说明：“他们紧抓住一棵自己完全不了解的树，天真地追求他们‘虚幻的小小存在’。”[①] 他们“紧”抓住树的时候，“抓”这件事已经耗费了全部心力，不再有“抬头”看世界或将目光折回来看自己的广心余情，因而陷入“完全不了解”这个词所标识的缺乏觉解的生存状态。[②]

但是，忙着干正事的大人怎么会是蘑菇呢？

小王子遇到的红脸先生是位商人，住在小王子所探访的第四颗行星上。“这个人实在太忙碌了，看见小王子来，连头也没抬一下。”（第 13 章）忙者，心亡也。[③] 本来，我们通过做事和世界打交道，并且在做事的过程中不断提升自己的觉解程度。但是，当我们忙于做事、没有空“抬头”的时候，却是迷失在事之中。我们的时间、我们的心灵被事所占据。我们被封闭在事之中，不再能经由做事通达世界，

---

① 参见［美］斯泰西·希夫：《小王子的星辰与玫瑰：圣埃克苏佩里传》，第 152 页。

② 罗兰·巴特论“抬头而读”：“读书之际，不时中辍，非因兴味索然，恰恰相反，乃由于思绪、兴奋、联想翩然而至，此景未曾降临您身吗？一句话，您不曾抬头而读吗？”（［法］罗兰·巴特：《S/Z》，第 1 页）

③ 参见贡华南：《汉语思想中的忙与闲》，生活·读书·新知三联书店，2015 年。

也不再能经由做事通达自身。

也许，正是在类似的意义上，埃克哈特（Eckhart Tolle）大师说道："人不必总去想应该做些什么，他应该更多地去思考的是自己是什么。"[①] 本来，人因事而在，人在所做中成其所是。但是，做事也可能异化，妨碍人成其所是。"总去想应该做些什么"，就没有时间反省自身，去思考"自己是什么"、人之所做与人之所是的关系。人不能迷失在做之中，而不去反省自己之所是。

三　占有不是正事儿

商人忙于干他的"正事"，那就是数数算账。他忙于数字或账目本身。3 加 2 等于 5，5 加 7 等于 12……一共是 51622731！至于数的是什么的数、算的是什么的账，他都可以不管不顾。

小王子追问："五亿什么呀？"商人继续数数："五亿一百万……我也不知道是什么……我的工作太多了！我做的都是正事，我没有工夫闲聊！二加五等于七……"小王子的追问并没有使他从数目之中

① 弗罗姆（Erich Fromm）引此箴言为《占有还是生存》一书的题辞之一。参见［美］埃里希·弗罗姆：《占有还是生存：一个新社会的精神基础》，关山译，生活·读书·新知三联书店，1989 年。

惊醒过来。

“五亿一百万什么？”小王子继续追问（第13章）：

“五亿一百万个小东西，有时候在天空里看得见它们。”

“苍蝇？”

“不对，是闪闪发亮的小东西。”

“蜜蜂？”

“不对。是些金色的小东西，无所事事的人望着它们会胡思乱想。可我是干正事的人！我没工夫去胡思乱想。”

“噢！是星星？”

“对啦。星星。”

在小王子的不断追问之下，商人对于“什么”的认识一点点清晰起来：五亿一百万个小东西——闪闪发亮的小东西——金色的小东西，无所事事的人望着它们会胡思乱想——星星。

进而，小王子追问“为什么”：“那你拿这些星星来做什么呢？”这是追问做事的意义。

商人说，不做什么，就是占有它们。如何占有？一遍一遍地计算它们的数目，把总数写在一张小纸片上，锁进抽屉。小王子问：如此而已？这就是占有吗？这就算正事吗？

什么算正事呢？

小王子对正事的看法，跟大人对正事的看法很不相同。

“我有一朵花儿，”他又说道，“我每天都给她浇水。我有三座火山，我每星期都把它们疏通一遍。那座死火山我也疏通。因为谁也说不准它还会不会喷发。我占有它们，对火山有好处，对花儿也有好处。可是你占有星星，对它们没有好处。”

商人张口结舌，无言以对。小王子就走了。（第13章）

在小王子和商人的对话中，小王子扮演了苏格拉底的角色，通过不断的诘问将商人从完全陷入做事而不自觉的状态中一点一点拯救出来。曾子讲：“吾日三省吾身——为人谋而不忠乎？与朋友交而不信乎？传不习乎？”（《论语·学而》）小王子也在刺激商人“三省吾身”，不过不是并列的三种事，而是不断深入的三层事：我做什么事？为什么做事？对做事意义的理解真的经得起推敲吗？经此“三思”，商人“张口结舌”。

四 逍遥游

《庄子·则阳》讲了一个故事：齐魏相争，戴晋人见魏惠王，说蜗角之争，“客出，而君惝然若有亡也”。魏王惝然若失，原先的意义世界发生了动摇。《庄子》第一篇为《逍遥游》，钟泰以“逍”为“消”，以“遥”为“摇”：“盖消者，消其习心，摇者，动其真机，习心消而真机动，是之谓消摇。惟消摇而后能游，故曰‘消摇游’也。”[1]“游”意味着自由之境。游以动其真机为前提，动其真机以消其习心为前提。然而，人们通常生活在习心之中，日用而不知。从习心中抽身而出，反思习心而有所知，进而有所怀疑和动摇，如此方有可能“消其习心”。易言之，“消其习心”以“摇其习心”为前提。

也许，商人已经“摇其习心”。但他能否进一步消其习心、动其真机而达到游的境地呢？加缪（Albert Camus）说，“为什么”之问将帮我们意识到荒谬，进而觉醒：“有一天，‘为什么’的疑问油然而生，于是一切就在这种略带惊讶的百无聊赖中开始了。厌倦处在机械生活的末端，但又是开启意识活动的序幕：唤醒意识，触发未来。未来，要么在循

---

① 钟泰：《庄子发微》，上海古籍出版社，2002年，第3页。

环中无意识地返回，要么彻底清醒。……一切从觉悟开始，惟有通过觉悟才有价值。”[①] 在商人那里，“为什么”的问题，尽管它的问之所问乃是商人本身，但它的发问者，实际上是小王子而非商人。易言之，还不是商人自己的问题。对于商人来说，“为什么”的问题还是外在的，并不是他自觉省思到的。无愤无悱，觉悟并未真正发端。日常生活的链条还没有被打开缺口。极有可能，在小王子走了之后，商人很快就从被打搅的状态回复到忙于正事的常态，不再有闲工夫进一步胡思乱想。一个人的习心总是很牢固的，所谓“意底牢结”（ideology）是也。

五　人生第一等事

究竟什么算正事呢？这依然是一个问题。

明代大儒王阳明十余岁时发问：何为人生第一等事？如果对正事的理解关系人与蘑菇之辨，那么，“何为正事”这一发问亦指向人生第一等事。何为第一等事？私塾老师——一位大人——告诉阳明：登科及第为官。这是古时读书人通常的生涯规划和人生道路。现代人也有通常的生涯规划和人生道路。

① ［法］阿尔贝·加缪：《荒诞推理》，载［法］阿尔贝·加缪《西西弗神话》，沈志明译，上海译文出版社，2013年，第13页。

《小王子》中的“我”将隐晦的作品 1 号改为显豁的作品 2 号，但是，大人们以通常的生涯规划和人生道路教育之：

那些大人劝我别再画蟒蛇，甭管它是剖开的，还是没剖开的，全都丢开。他们说，我还是把心思放在地理、历史、算术和语法上好。就这样，我才六岁，就放弃了辉煌的画家生涯。（第 1 章）

《威廉·迈斯特的学习时代》中，父亲反对威廉迷上看戏。这玩意儿哪有一点儿好处？怎么可以这么白白地荒废光阴？威廉反驳说：难道凡是不能直接往钱包里装钱，不能直接带来收益的事情都毫无用处吗？[①]

《红楼梦》中，宝玉整天不干正事。贾政又是骂，又是打，逼宝玉干点正事，宝钗、袭人劝宝玉干点正事。唯独黛玉没有劝宝玉干正事。也许，在宝黛的心目中，另有不同于读书取功名的正事。

面对私塾老师的教诲，小小阳明不以为然，认为只有学做圣贤才是人生第一等事，才是人生真正的正事。圣贤者何？理想人格是也。人生的正事，

① ［德］歌德：《威廉·迈斯特的学习时代》，杨武能译，广西师范大学出版社，2003 年，第 3 页。

乃是理想人格如何培养的问题。当然，“如何”（how）的问题同时关联着“何”（what）与“为何”（why）的问题。我们需要弄明白，在小王子的时代，在我们的时代，培养何种理想人格？何以如此？如何培养？

5

驯养

鱼相忘乎江湖，人相忘乎道术。

——《庄子·大宗师》

一 “驯养”这个词

小王子跟狐狸相处，听到“驯养”（apprivoiser）这个词，并且真真切切地跟狐狸建立起驯养的伦理关系。至此，小王子可以说发现了良好生活之道的真谛。

“apprivoiser”这个词是《小王子》中的一个关键词。这个词的本义是驯服或驯养动物，但圣埃克絮佩里赋予它独特的含义。这让译者犯了难。周克希先生在《小王子》“初版译序”中写道：

第二十一章里狐狸提出了一个很重要的（后来反复出现的）概念，法文中用的是 apprivoiser，这个词当然可以译成“驯养”或“驯服”。这样译，有词典为依据。然而问题在于，作者到底是在怎样的语境中使用这个词的呢？要弄明白这个问题，势必就得细细品味上下文，把这个词放在上下文中间去体会它的含义。而这时候，译者很容易“当局者迷”。我一开始就迷过——先是译作“驯养”，然后换成“养服”。放在上下文中间，自己也觉得是有些突兀，但转念一想，既然是个哲学概念（狐狸在这一章中以智者的形象出现），有些突兀恐怕也可以容忍吧。后来有位朋友看了初稿，对这个词提出意见，还跟我仔细地讨论这段文字的内涵，我受他的启发，才决定改用“跟……处熟”的译法。这个译法未必理想，但我们最终还是没能找到更满意的译法。暂且，就是它吧。[①]

在“再版译序”中，周克希先生解释了为什么还是改为“驯养”：

书中有个词，原文是 apprivoiser，相当于英文的 tame。我一开始译成“跟……处熟”，重新印刷时改成“跟……要好”。但这次再版，我又改成了“驯养”。这样改，我有一个很认真的理由：这个词“确实不是孩子的常用词”——我的一个法国朋友这样告诉我，法语是他的母语。我还有另外一个理由：“跟……要好”（它比“跟……处熟”自然）虽然明白易懂，但缺乏哲理性，没有力度。而 apprivoiser 在原书中是表现出哲理性和力度的。我的第三个理由是：译作“跟……要好”，当时就并不满意。后来跟许多朋友讨论过。其中有个大人，叫王安忆，她劝我“两害相权取其轻”。还有个小男孩叫徐振，年纪大概跟小王子差不多，他告诉我“驯养”的意思他懂。我听了他们的话，又想了半天，最后用了

① ［法］圣埃克絮佩里：《小王子》，第 3—4 页。

“驯养”。倘若所有这些理由加在一起还不够，那我愿意把这个词的译法当作一个 open question（有待解决的问题），请大家有以教我。[①]

周克希先生的译笔简淡传神，韵味悠长。他花了很多心思琢磨、讨论“apprivoiser”的译法，在“驯养”“跟……处熟”“跟……要好”之间踌躇徘徊。由此可见这个词的难译。值得一提的是，其他译者如黄荭教授也用“驯服”一词翻译“apprivoiser”。较之“驯养”，“驯服”也有它的优长之处。比如，它与“彼此信服”的巧妙关联。[②] 不过，由于跟“驯养”处熟了，以下还是用这个译名吧。此外，也可能因为笔者偏好“养”字吧，如孟子之言“养气”，如《庄子》之言“养生主”。养者，养体、养心、养气、养神、养生。养一把茶壶，细心呵护它，跟它处熟，在此过程中，它也倒过来怡我之情、养我之性。驯养物是如此，驯养人亦当作如是观。

二　驯养：建立联系

小王子从狐狸那里听到“驯养”。小王子以狐狸

---

① ［法］圣埃克絮佩里：《小王子》，第 6—7 页。

② 在一次微信交流中，黄荭教授提示了这一点。

为师。《小王子》第 21 章是这样开头的："就在这时狐狸出现了。"——同样，就在这时 apprivoiser 出现了。这时，迎来了小王子的开悟时刻，全书情节达到高潮，全书义理也达到高潮。

狐狸出现了，小王子要找它玩。狐狸说："我不能和你一起玩。还没有驯养过我呢。"

"'驯养'是什么意思？"小王子接连追问三次。

狐狸给"驯养"下了一个定义：驯养是建立情感联系。你想跟我交朋友，你就要驯养我。你要是驯养了我，我们之间的关系就从漠不相关转化为彼此需要。无论是你对于我，还是我对于你，都是世界上独一无二、不可替代的了。

驯养的道理不止于此。狐狸继续对小王子说，如果你要想驯养我，就得耐心，舍得花时间："正是你为你的玫瑰花费的时光，才使你的玫瑰变得如此重要。"（第 21 章）

要想跟人建立情感联系，就需要跟他处熟，而处熟是需要花时间的。"当我们种下一棵橡树，我们不可能期待马上就坐在绿荫下纳凉。"[①] 和《小王子》作于同时期的《给一个人质的信》（1943 年 6 月）中也有一句隽永的话："恳求朋友投桃报李之前，你要

① ［法］圣埃克絮佩里：《风沙星辰》，徐丽松译，文汇出版社，2018 年，第 35 页。

长时间浇灌友谊之花。”[①]（Il faut longtemps cultiver un ami avant qu'il réclame son dû d'amitié.）这里的“人质”就是那位“大人”莱翁·维尔特。费孝通也巧妙地运用“学而时习之，不亦说乎”（《论语·学而》）来解释与人处熟的过程：“熟悉是从时间里、多方面、经常的接触中所发生的亲密的感觉。这感觉是无数次的小磨擦里陶炼出来的结果。这过程就是《论语》第一句里的‘习’字。‘学’是和陌生事物的最初接触，‘习’是陶炼，‘不亦说乎’是描写熟悉之后的亲密感觉。”[②]

在见到小狐狸之前，小王子邂逅一个玫瑰园，发生了严重的精神危机。它实际上是一次意义危机。为什么？他的花儿原本在他的意义世界中占有非常独特的重要位置；如今，园子里玫瑰成千上万，严重冲击了他的花儿的独特性，以及与之相应的花儿的重要性——花儿失去意义了。花儿的重要性，不是对于花儿自身而言的；花儿的重要性，意味着花儿带给小王子的好处很大。花儿失去意义，这不是花儿的危机，而是小王子的意义危机。

经过狐狸的开示，小王子克服了意义危机。狐

① Saint-Exupery Antonie, *Lettre a un otage*, *Œuvres completes de Saint-Exupery*, T. 3, Paris: Club de l'honnote homme, 1985, p. 20.

② 费孝通：《乡土中国》，上海人民出版社，2007年，第24页。

狸扮演了一位心理治疗师的角色，或者更确切地说，一位哲学咨询师的角色。世上之物，形形色色，这这那那；“这”或“那”的独特性究竟在哪里？这是一个哲学问题。[①]

小王子明白了驯养的道理之后，折回玫瑰园，对众玫瑰说：

> 对于我来说，单单她这一朵，就比你们全体都重要得多。因为我给浇过水的是她，我给盖过罩子的是她，我给遮过风障的是她，我给除过毛虫的（只把两三条要变成蝴蝶的留下）也是她。我听她抱怨和自诩，有时也和她默默相对。她，是我的玫瑰。（第 21 章）

对于小王子来说，他的狐狸是“这只”狐狸而不是抽象的一般意义上的狐狸；对于狐狸来说，他的小王子是“这个”小孩而不是抽象的一般意义上的小孩。B612 小行星上的玫瑰是小王子的“那朵”玫瑰，而不是抽象的一般意义上的玫瑰。社会学家费

---

① 可参见金岳霖《论道》关于个体的讨论。萧阳的哲学剧本《安提戈涅》极好地诠释了“这这那那”：不同的人对命运、法律、责任等有不同的基本理解，作出不同的选择，从而接受或造就了自己各不相同的命运。（参见萧阳：《安提戈涅》，载《论证》第 2 辑，广西师范大学出版社，2002 年）

孝通说过一句意味深长的话：“从熟悉里得到的认识是个别的，并不是抽象的普遍原则。”[①]

友谊总是和某位伙伴的友谊。友谊是具体的、独一无二的、不可替代的。“真的，永远不可能有任何事物足以替代我们失去的某个伙伴。没有任何事物的价值足以匹配由那么多共同回忆，那么多一块度过的艰苦时刻，那么多争吵、和解、情感起伏所构成的宝藏。我们不可能从头打造那样的友谊。”[②] 任何金钱“买不到与我们同甘共苦的伙伴之间那种永远的牵挂”[③]。

小王子明白了“驯养”的道理，明白了他的花儿的独特性（singularity）在于它是“他的”花儿，而不在于它是某种花中的一朵。现在，“这朵玫瑰”的“这”，不是被理解为，这朵玫瑰是“玫瑰”共相的个体化；而是被理解为，这朵玫瑰是小王子与玫瑰所形成的共同体结构中的一个环节。前者遵循了普遍性思维，而后者遵循了共同性思维。[④]

小王子驯养了玫瑰，和它建立了联系。于是，它成了“他的”花儿，他成了“它的”小王子。人是

---

① 费孝通：《乡土中国》，第 10 页。

② ［法］圣埃克絮佩里：《风沙星辰》，第 35 页。

③ ［法］圣埃克絮佩里：《风沙星辰》，第 36 页。

④ 儒家仁爱观强调“爱有差等”（先秦）、“理一分殊”（宋明），亦是共同性思维而非普遍性思维。我们孝敬各自的父母，而不是孝敬普遍的父母，但这并不妨碍孝敬是普遍之理。

需要社会关系的“羁绊”的。在小说《风沙星辰》中，奴隶“树皮”重获自由。圣埃克絮佩里写道：“他是自由了，但自由得毫无羁绊，结果反而不再能感受到自由在世上的重量。他想念那种羁绊着行进步履的人情重量，那些眼泪、道别、责备、喜悦，每当一个人做出某个动作时会抚摸或撕毁的一切，那将他与他人牵系在一起，并使他寸步难行的千万种联结。”[①]

羁绊，意义的源头。经驯养而与周遭世界建立羁绊，于是世界变得有意义，从“客观”的事实界转化为“主观”的意义世界。这是将周遭世界纳入自我的过程，同时也是自我成长的过程。世界成了我的身体的一部分。我的“身体”不限于肉眼可见的肉体（“形”），还有包裹在它周围的、用眼睛看不见的精神（“心”）。自我与世界“长”到一块儿了，从空间上并存的合同状态转化为痛痒相关的体同状态。

依其本质，人是缘在（Dasein)。“缘”（Da-）构成了人的意义世界。人无时无刻不在意义世界之中。人是意义的动物。没有意义，就不能生活。意义之于人，就像水和空气一样。空气既重要又寻常，我们常常忘记了它的存在。也许只有在雾霾天，我们

① ［法］圣埃克絮佩里：《风沙星辰》，第132页。

才会发觉空气如此重要。“当意义成为疑问或者根本上被丧失了的时候，人们最终就会清楚地看到意义问题的重要。意义危机、意义丧失、意义坍塌或意义的遮蔽都是对人的缘在（Dasein）以及他的生活质量的深刻危害。”①

驯养的道理不尽于此。狐狸继续对小王子说，“对你驯养过的东西，你永远负有责任”（第 21 章）。这里的“责任”，并非伟大哲学家康德（Immanuel Kant）所理解的作为绝对律令、对于普遍之“人”的义务。它就是我对于某一个体、那个具体朋友的责任。责任针对与我有着特定关系的某一个体，就此而言，它是具体的。但是，我们可以合理地要求所有人践行这种责任，就此而言，它又是普遍的。

① ［德］罗姆巴赫：《意义》，载［德］罗姆巴赫：《作为生活结构的世界：结构存在论的问题与解答》，第 22 页。按照罗姆巴赫的见解，克服意义危机，可能无法指望现代心理学，因为现代心理学有一个根本性的错误需要修正，那就是它失“灵”了：它摒弃了“作为联系的和有组织的生存原理的灵魂”，从而导致了一种“无灵魂的心理学”。（［德］罗姆巴赫：《“我”》。载［德］罗姆巴赫：《作为生活结构的世界：结构存在论的问题与解答》，第 93 页）现代心理学把“心”误解为自为存在的“心理之物”（Psyche），因而就不能理解人之为缘在（Dasein），不能理解“缘”对于自我的结构意义。“周围世界不是作为‘身体’被发现，一种充盈根本不会被视为可能性，回溯联系不再被应用成为一个新的自我的自我构造。对一个自为存在的心理之物，情形就是如此，这个心理之物感到自身远离了这个自我，并且在其中一定会将自身经验为无意义。我们必须进一步修正心理学的这种错误处理。”（同上，第 102 页）倘若从徐梵澄的精神哲学出发，则可以看到，现代心理学之失“灵”，不仅在于把“心”误解为自为存在的“心理之物”，而且在于无视“心”的精神性向度。

它是具体的普遍，而康德的绝对律令则是抽象的普遍。不妨试想以下场景：B612 星球上起风了，按照康德道德哲学行事的小王子小心翼翼地给花儿盖上了风罩。小王子的眼神充满柔情蜜意吗？没有。我们看到了理性超然的眼神。小王子说，我有责任这么做，这么做是为了合乎“友谊”的绝对律令，而不是因为我对于花儿的真挚情谊。[①]

三 驯养物

经由驯养，我们和人建立情感联系。经由驯养，我们也同物建立情感联系。

---

① 在萧阳的哲学戏剧《安提戈涅》中，安提戈涅并不爱他的哥哥，但她却不惜以生命为代价，执意埋葬哥哥的尸体，因为在她看来，凡人皆有为死去的亲人施葬礼的义务。她的姐姐海蒙无情“揭穿”妹妹：“你行动并非出自对具体生命的同情，而是对抽象原则狂热的激情。”“你看不见人，你只看见耸立在荒漠上坚硬而无情的原则。”（萧阳：《安提戈涅》，载《论证》第 2 辑，第 290 页）这实际上也“揭穿”了康德高严伦理学的抽象性。值得进一步思索的是，王船山等儒家区分了“爱”与“仁”，认为一般的爱发乎情，而仁基于理。发乎情的爱“但以情之离合为取舍”（王夫之：《船山全书》第六册，第 1062 页），和我们一会儿爱吃烤肉、一会儿爱吃蔬菜没什么区别。基于“同气相感之理”的仁才是真爱，它不会随外界的变化而变化。舜对他弟弟象的爱是真爱：“故就凡人言之，吾弟则爱之，亦非仁也。必至于象日以杀舜为事，而舜且亲爱不改其恒，忧喜与同而无伪，方谓之仁。”（同上）那么，基于“同气相感之理”的仁爱是不是康德意义上的抽象之爱呢？就其“不改其恒”、不“以情之离合为取舍”而言，它强调了仁爱的坚韧性和高严品格。但是，“同气相感之理”仍是切身而具体的，就此而言，它不是抽象的。一言以蔽之，具体的坚韧性有别于抽象的普遍性。

驯养物，与周遭世界建立联系，我们诗意地栖居在“家”里，幸福地走向逍遥之境。圣埃克絮佩里也在《要塞》中写下了这一个“大道理”：

人居住下来，事物的意义对他们也就随着家的意义而变化。道路、麦田、起伏的山冈根据它们是不是组成家园而对人有所不同。突然这些零星的物质组成一体，上了心就有了分量。①

就像那些人，以为把我的家园分割才看得清楚。他们说：“就是些绵羊、山羊、大麦、房屋和山岭——还有什么别的吗?”他们可怜，占有不了别的什么。他们冷。我发现他们像那个分割尸体的人。他说：“生命，我把它暴露在光天化日之下：这只不过是骨头、血、肌肉与内脏的混合物。”而生命是眼睛里的光芒，这在他们的尘土中是看不到的。而我的家园不只是这些绵羊，这些田野，这些房屋，这些山岭，而是统率和联结这一切的东西。这是我的爱的王国。他们若知道这点就会幸福的，因为他住在我的家。②

《小王子》第 25 章以诗意的语言描述了在沙漠

① ［法］圣埃克苏佩里：《要塞》，第 435 页。

② ［法］圣埃克苏佩里：《要塞》，第 435 — 436 页。

中跟水的亲密关系："我把水桶举到他的嘴边。他喝着水，眼睛没张开。水像节日一般美好。它已经不只是一种维持生命的物质。它来自星光下的跋涉，来自辘轳的歌唱，来自臂膀的用力。它像礼物一样愉悦着心灵。"

在小说《风沙星辰》中，圣埃克絮佩里把井绳比作脐带："我们以为人类可以挺直身躯不断勇往直前，我们以为人类是自由的……我们没看到那根把他系在井口上的绳子，没看到它像一条脐带般把他连到大地的腹腔。如果他多走一步，他就没有了生命。"① 而且，圣埃克絮佩里毫不吝啬地献上水之颂，在从沙漠脱困之后：

水！

水啊，你没有味道，没有颜色，没有香气，我们无法为你下定义，我们不认识你，只是品尝着你。你不是生命的必需品，你就是生命。你以一种完全无法用感官解释的方式使我们整个人浸淫在快乐中。我们原本放弃了的所有力量都跟着你重新灌注在我们体内。借由你的恩典，我们心里那所有枯竭的泉源又都流水淙淙。

你是世界上最伟大的财富，你也最细致柔美，

① [法]圣埃克絮佩里：《风沙星辰》，第194页。

你在大地体内是何等纯净。我们如果待在含有镁质的泉水边，只有死路一条。我们在咸水湖畔也不可能找到生机。就算我们有两升露水，我们也会因为悬浮在那里的矿盐而死去。你不愿意接受任何污染，你无法忍受任何变异，你是个容易受惊的神祇。

但是，你却能在我们体内散播无比简单、却又无边无际的幸福。[1]

圣埃克絮佩里在沙漠中出生入死。然而，正是在与沙漠的争执中，圣埃克絮佩里爱上了沙漠。“我一向喜欢沙漠。我们坐在一个沙丘上。什么也看不见。什么也听不见。然而有什么东西在寂静中发出光芒……”（第 24 章）《一封给人质的信》歌颂沙漠寂静之音：

那是平和的寂静：部落之间达成和解，傍晚再度清凉，仿佛在安静的港口折帆停息。那是正午的寂静：烈日之下，无所思，无所动。那是虚假的寂静：北风减弱，昆虫出现，如同绿洲上散出的花粉，而沙尘暴即将由东而至。远处的部落蠢蠢欲动，那是密谋的寂静。阿拉伯人达成难以理解的和解，那是神秘的寂静。信使迟迟不归，那是紧张的寂静。

① ［法］圣埃克絮佩里：《风沙星辰》，第 204 页。

深夜屏息静听，那是敏锐的寂静。思念爱人，那是忧郁的寂静。[①]

要有多么熟悉，才能听出如此层次丰富的寂静之音啊！

“沙漠这么美，”小王子说，“是因为有个地方藏着一口井……”

我非常吃惊，突然间明白了沙漠发光的奥秘。（第 24 章）

沙漠发光的奥秘是什么呢？在寂静中发出光芒的东西是什么呢？

《老子·四十一章》：“大音希声。”

四 驯养天地

圣埃克絮佩里歌颂沙漠寂静之音，进而写道：“沙漠没有提供任何有形的财富，沙漠中没有可看或可听的东西。人们不得不承认，人首先是通过无形的诱惑而获得活力的。因为，人的内在生命无法被

① Saint-Exupery Antonie，*Lettre a un otage*，*Œuvres completes de Saint-Exupery*，T. 3，p. 22.

哄入睡，而是只能被加强。人是受精神支配的。在沙漠中，我的神性的价值是什么，我的价值便是什么。”[①] 麦克斯韦·A. 史密斯（Maxwell A. Smith）对此评论说：“现在我们明白了，为什么圣埃克絮佩里要让自己踏上漫长的旅途，去领略沙漠的魅力。”[②]《老子·十二章》：“五色令人目盲；五音令人耳聋；五味令人口爽；驰骋畋猎，令人心发狂；难得之货，令人行妨。”沙漠中没有可看的东西，不会令人目盲。沙漠中没有可听的东西，不会令人耳聋。沙漠中没有有形的财富，不会令人行妨。故而，在沙漠中，我们有机会唤醒内在生命，提升精神性，乃至听到寂静之大音，看到无形之大象。沙漠是最佳的修炼道场。

在撒哈拉沙漠，在1927年2月8日那个飞机失事、孤立无援、广漠寂寥的夜晚，圣埃克絮佩里感悟人在宇宙间的渺小和伟大：“最神奇的是，在这颗星球的浑圆背脊上，在这块具有磁力的大地布匹及苍穹中的星辰之间，人类的意识居然在一片星雨中矗立不摇，仿佛清澈地反射在一面明镜中。”[③]

---

① Saint-Exupery Antonie, *Lettre a un otage*, *Œuvres completes de Saint-Exupery*, T. 3, pp. 23-24.

② Maxwell A. Smith, "Saint Exupéry's *Lettre a un otage*," *The French Review*, Vol. 24, No. 2 (Dec., 1950), p. 116.

③ ［法］圣埃克絮佩里：《风沙星辰》，第72页。

遥想当年，陈子昂独上高台，看大地苍茫、宇宙洪荒，不由慷慨悲吟：“前不见古人，后不见来者。念天地之悠悠，独怆然而涕下！”

在撒哈拉沙漠，在生死关头，圣埃克絮佩里获得了从星球的尺度看人看世界的切己体验，从而使他的笔墨浸染着深邃动人的宇宙意识。这样的宇宙意识，在庄子的逍遥游之中，在苏东坡“挟飞仙以遨游，抱明月而长终”的神思之中，也在冯友兰关于天地境界的理性描述之中。[①]

圣埃克絮佩里，不亦圣乎？[②] 圣者非他，怀着宇宙悲情看人看世界、感通人类共同体、驯养天地万物者。

经由驯养，我们和人建立情感联系，我们对于他人不再麻木不仁、漠然不相干。儒家所讲的“仁”，正是与“麻木不仁”相对，是能够感通他人的痛痒。而且，儒家之“仁”还要从人推扩出去。从关系密切的“亲”到同为人类一分子的“民”，到

---

① 郑开教授也强调了庄子的宇宙意识或宇宙想象力。（参见郑开：《庄子哲学讲记》，广西人民出版社，2016 年，第 3 页）

② 斯泰西·希夫在传记中记载了一则由“圣埃克絮佩里”的名字引发的趣事。“‘他是法国的圣徒吗？’1940 年，查尔斯·林德伯格的儿子就很困惑，曾这样问母亲。有趣的是，安妮·莫罗·林德伯格回答，从不太通常的意义上来说，圣埃克苏佩里确实算一位圣徒。一年之前，她便已经为这位法国人倾倒了。”（［美］斯泰西·希夫：《小王子的星辰与玫瑰：圣埃克苏佩里传》，第 4 页）

地球上的“物”，到日月星辰，臻乎其极，则是与天地万物一体的仁者圣人之境。

仁者能够真切体知他人之痛痒，体知天地万物之痛痒。由此体知，仁者的身体不断生长，臻乎其极，以天地万物为己之身体。而且，身体的生长不是简单的量上的增扩。在此过程中，身体亦由仅能体知居之所安、食之所甘、色之所悦的自然身体，生长为能体知他人之痛痒的道德身体，进而成长为可以体知天地万物的超道德身体。身体的生长，同时在两个向度上展开。一者横通扩充，向外流溢，由亲亲而仁民，由仁民而爱物；[①] 二者纵贯上达，由亲亲而亲天，亦可由仁民而亲天，由爱物而亲天。由亲亲而亲天，即由自然情感（吾为亲之子）提升为道德情感（吾为亲之子），进而提升为形上-道德情感（吾为天地之子）。切身体会到天地之一，孟子讲，“万物皆备于我”，乐莫大焉。这种乐，可谓乐天之乐。横通与纵贯，二者并非隔绝。事亲之中，天德存焉。由亲亲上达乾坤健顺化育生成之仁德，进而由此知得我与民、物之一，故能仁民、爱物。由亲亲上求体，再将此体发为仁民爱物之用。理一

---

① 贺麟：“说人应履行等差之爱，无非是说，我们爱他人，要爱得近人情，让自己的爱的情绪顺着自然发泄罢了。”（贺麟：《五伦观念的新检讨》，载贺麟《文化与人生》，商务印书馆，2015 年，第 58 页）

分殊，亲亲、仁民、爱物，“亲”“仁”“爱”，异中有同，同中有异，理一分殊，以与相待之物（亲、民、物）相和的方式表达相同的爱之理——仁。是谓亲亲而仁民爱物（民胞物与）。

贺麟先生高度肯定仁的宗教性及其意义。在他看来，“仁即是救世济物、民胞物与的宗教热诚。《约翰福音》有‘上帝即是爱’之语，质言之，上帝即是仁。‘求仁’不仅是待人接物的道德修养，抑亦知天事天的宗教工夫。儒家以仁为‘天德’，耶教以至仁或无上的爱为上帝的本性。足见仁之富于宗教意义，是可以从宗教方面大加发挥的。从哲学看来，仁乃仁体。仁为天地之心，仁为天地生生不已之生机，仁为自然万物的本性。仁为万物一体、生意一般的有机关系和神契境界。简言之，哲学上可以说是有仁的宇宙观，仁的本体论。离仁而言本体，离仁而言宇宙，非陷于死气沉沉的机械论，即流于漆黑一团的虚无论”①。

徐梵澄先生表彰精神哲学。按照他的体贴，人之精神来自作为宇宙本体的精神，体知乾坤健顺化育生成之仁德即是天人合一，由此可得悦乐。他从先秦的孔子、北宋的张载讲悦乐：“所谓良好而且远大的效果，是既明‘此学’已，同时便得到‘此乐’。

① 贺麟：《儒家思想的新开展》，载贺麟《文化与人生》，第10页。

于是人生之痛苦皆除，直至‘存吾顺事，没吾宁也’。徒从事于思辨哲学，或者从之能得到理解上的满足，如同解答了一谜语，不是于宇宙人生真实的全部悦乐的体验。再返于约，这又更简单，只有一个字，即孔子所教的‘仁’。其他一切名言以至体系，皆从此中源出。”[①] 徐梵澄还将证会宇宙本体的悦乐与印度哲学相沟通：“悦乐，即‘阿难陀’(Ananda)。自来东西方不乏修为之人体会到宇宙本真，感到了大悦乐，极欢极幸，觉得到了那一地步不虚此一生，此辈人更仆难数，如于宋明儒者之‘学是学此乐，乐是乐此学’（今言‘修为’），亦可见其一斑。但说此宇宙本原之‘真’即是‘乐’，这是印度独创。”[②]

① 徐梵澄：《陆王学述》，远东出版社，1994 年，第 218 页。

② 徐梵澄：《玄理参同》，崇文书局，2017 年，第 163 页。

6

《小王子》新编

寓言十九，重言十七，卮言日出，和以天倪。

——《庄子·寓言》

一 起 兴

我在十几岁的时候，读到鲁迅先生《故事新编》，叹为观止。《补天》《奔月》《铸剑》《理水》《采薇》《出关》《非攻》《起死》八篇，故事取材皆有所本。然作者依于史而不泥于实，恢谲诡怪，唯意所适，创造了一个离奇而深刻的思想世界。多年之后的某个夏天，阅读《庄子・齐物论》，突发奇想：《齐物论》天下奇文，鲁迅赞其"汪洋辟阖，仪态万方"；然则，后世读者亦不妨挑战想象力，将《齐物论》改而易之，作而新之。于是，便有《〈齐物论〉新编及释》之作。该文开头一节，标目"起兴"。其辞曰：

读《齐物论》，不免时时抬头而读，或因索解之难而搔首踟蹰，或因兴味盎然而彷徨徜徉；抑或，目光在脱离文本之际投向了自身性命。

《齐物论》卮言日出，始卒若环，莫得其伦。往复耽玩，味无尽，义无穷。《齐物论》是不断邀请读者从不同地方开始阅读的文。不仅如此，《齐物论》还是作者不受限制的文本，无尽的"意义敞口"让它成为能引入写作者。在《齐物论》的蛊惑下，笔者一时兴起，姑从《齐物论》终结处着手，试作《齐物论新编》。熊十力作文，常于文中自注。笔者亦不顾邯郸学步之嫌，作《新编》释。

“意义敞口”是一个独特的用词，它是笔者大学时代的老师崔宜明教授所造。2024 年春夏之交，朱承教授邀请崔宜明老师到闵行讲学，笔者趁机请教“意义敞口”。率性的崔老师不无得意地说，“意义敞口”，还有“自否剩余”，是他研读《庄子》多年自家体贴出来的。“意义敞口”是《庄子》所独有的文本现象之一，它让庄子文本具有某种特殊的多义性，朝向多种相异甚至相左的理解的可能性。“其效果就是，让多种理解可能性，甚至互相对立的理解可能性都保持自身的合理性，从而诱导乃至迫使读者以作者的姿态参与进来。”①

《齐物论》文本邀请读者成为作者，《〈齐物论〉新编及释》便是这样“应邀”而作的一次尝试。

在品味《小王子》哲思的过程中，类似的念头也不时地冒出来。《小王子》的魔力也让它成为“能引

① 崔宜明：《从鹏扶摇到蝶蹁跹：〈逍遥游〉〈齐物论〉通释》，上海人民出版社，2018 年，第 10 页。

入写作者”[①]。《小王子》采用第一人称叙事，让飞行员扮演“我”的角色。那么，是否有可能采用其他第一人称视角进行叙事呢？比如，让小王子、玫瑰、小黄蛇、围巾，或者别的什么成为讲故事的“我”？再比如，第 2 节曾发问：我们的小王子有没有回到他的小行星，回到他的花儿身旁？那么，我们能否想象回到 B612 小行星之后的小王子？不妨试一试。

在我的脑海中，小王子是纯净明亮的。爱穿绿色的衣服，或是套装，或是披风。披着金黄色的围巾，飘扬着，和他金黄色的头发相映成趣。

圣埃克絮佩里喜欢绿色。他在给母亲的信里写道：“绿色是精神食粮，绿色让人保持举止文雅、灵魂宁静。若将这抹色彩从生命中去除，人将很快变得干涸、枯败。”[②] 不过，我相信圣埃克絮佩里也是喜欢金黄色的。不然，他不会让小王子长一头金色的头发，不会让他一直戴着金黄色围巾，不会让他借助一道“黄光”回到魂牵梦萦的小星球，也不会让狐狸诉说金黄色的麦浪。金黄色是鲜艳华丽的，

① 屠友祥解释说，“能引入写作者”（*le scriptible*）在罗兰·巴特那里指“文的编织方式或构成形式引动了人们想模仿的欲望，也跃跃然要依循它写出自身的文来”（［法］罗兰·巴特：《S/Z》，第 5 页，译注 12）。

② ［法］纳塔莉·德·瓦利埃、［法］罗斯利娜·德·阿亚拉：《成为小王子：圣-埃克苏佩里手稿书信集》，黄荭译，广西师范大学出版社，2022 年，第 207 页。

是热烈奔放的，对于“正在挨饿受冻”（《小王子》献辞）、备受战争煎熬的人来说，无疑是莫大的慰藉。

想来想去，我准备让金黄色的头发做主人公，尝试从他的视角出发讲故事。

二　我的名字叫金发

我的名字叫金发。

琢磨名字也是一件好玩的事。名字有涵义吗?用名字来称一个人，或者指一个东西，这是它最基本的用法。有时名字便只是一个拿来指称用的标签，没有什么特别的涵义。我有位大名鼎鼎的朋友，名叫“治平”。大概因为他研究儒学的缘故，我很自然地把他的名字跟《大学》所讲的“治国平天下”联系起来。有一次问起名字的来历，他说，纯属偶然。按当地习俗，男孩的胎盘需要被埋在大门下面。家里人在埋他的胎盘的时候，挖出一枚顺治通宝，于是取了“治”字。“平”也是“治”的意思。“治平”看似有儒学的涵义，但其实并没有。当然，这仅是就“治平”这个名字最初的来历而言的。在这个名字使用的过程中，我怀疑它逐渐获得了儒学的涵义。比如，治平上了大学，读到儒家经典，知道了“三纲领”“八条目”，不知不觉把“治国平天下”的涵义赋予自己的名字。而且，我猜测，从自己的名字中读出儒学意蕴（或者倒过来说，把儒学意蕴读入自己的名字），这还有可能影响到治平成长为一名儒家学者呢。语词的意义在于使用。一个人的名字，有时候也会以一种兴发的方式影响一个人的人生道路。

名字有涵义吗？以上我们看到一种情形：名字在使用过程中逐渐获得了命名之初所没有的涵义。我们也会碰到另一种情形：名字最初的涵义在使用过程中逐渐失去了。在我的老家，有个小村名叫“潮际”。我从小就知道这个名字，也一直在用这个名字，但从来没有想过它有什么涵义。直到十几岁的时候，有一天读到一本地方民间传说，才知道它是有来历的：小村在江边，每次涨潮，到了这个地方就不再往上涨了。所谓“潮际”者，涨潮的分际线是也。我问了好几位潮际村的小伙伴，他们都不知道村名的来历。

我的名字“金发”是有涵义的，因为我就是金黄色的头发，长在小王子的头上。我是小王子的一头金发，不是其中的某根。就局部的某根或某些头发而言，每天有代谢，但我作为一个整体依然保持为“我”。而且，随着小王子的长大，我作为整体也一直在发生改变。起初是细细的绒毛，颜色淡淡的。

后来，就变成了浓密的金黄色。我随着小王子一起长大了，但我依然是原来的那个“我”。

有时候，我也很困惑：我的部分在变，我作为整体也在变，那么，究竟是什么使得我仍然是原来的那个自己呢？一位朋友告诉我，用哲学家的行话来说，这就是人格同一性问题。

三　我还是原来的我吗？

我还是原来的我吗？回到B612小行星之后，我被这个人格同一性问题紧紧包裹着，久久透不过气来。

我跟着小王子一起踏上地球，便遇见了那条小黄蛇。它说的话像谜似的。当时它说：“这些谜我都能解开。”一年之后，果真如此。它说的话我都懂了。更要紧的是，它实实在在帮助我跟小王子回到了遥不可及的老家。中国古老的典籍《易经》说过，“言行，君子之所以动天地也”。小黄蛇真是君子啊。

我清楚地记得那次灵肉分离的奇特体验。小黄蛇在小王子的脚踝上飞快地咬了一口。小王子像一棵树那样，缓缓地倒下。我感觉到每一根头发都在往下坠，越来越沉。我从来没有感受过头发如此沉重。魂魄如一股清气从头发中升腾出来，轻飘飘地。我对头发的感受越来越弱，对魂魄的感受越来越强，直到最后完全跟魂魄合而为一。

然后，恍惚之间，便发觉自己回到了 B612 小行星。我没有想到，小黄蛇的毒液能够实现超距传输。不过，小黄蛇毕竟太小了，毒液有限，只够传输魂魄。我的肉身，那一头金发显得太沉，更甭提小王子的整个躯壳了。

然后，恍惚之间，我看到了小王子的躯壳躺在那里，带着一头的金发。恍惚之间，小王子的躯壳站了起来，我也再次感受到了金发肉身。

小王子复活了，我复活了，在 B612 小行星，有肉身，有魂魄。

后来，我一直琢磨复活的事。在地球上的时候，我看过一部中国的动画片《哪吒闹海》，很是喜欢。小哪吒嫉恶如仇，武艺高强，对恶人敢于斗争，也有能力斗争。四海龙王威逼李靖，哪吒自刎，魂魄化为珠子。一只仙鹤衔着珠子送到哪吒师父太乙真人洞府，真人施法，珠子与莲花合一，哪吒重生。我和小王子的复活过程好像比这还要神奇、不可捉摸，没有传输魂魄的仙鹤，没有施法的真人。

在地球上的时候，我还读过一部科幻小说《三体》。我的复活经历也让我想到它。小说在宇宙的尺度上展开想象，恢诡谲怪，这是我所深嗜的。小说讲到，人类准备向三体舰队发射一个探测器，限于技术条件，只能传送一个人的大脑。云天明被选中了，他的大脑被送往茫茫宇宙。三体人捕捉并复活了云天明的大脑。大脑复活后的云天明应该是有人的躯体的，不然，难以想象他和艾 AA 在蓝星上度过了幸福的一生，在与程心擦肩而过之后。

后来，我看着小王子翻阅《B612 小行星史》，才知道这副小王子的躯壳是他的那朵玫瑰在数百年前送给他的礼物。小王子在地球上呆了一整年，之前在诸星间已游历数年。地上一年，小行星上四十余载。小王子回到老家的时候，时间已经过了数百年。三座火山还在，两座活的，一座死的。他看到了玫瑰，十二朵，是他那朵玫瑰和蝴蝶的后裔。

我复活了，有肉身，有魂魄。究竟是什么使得我仍然是原来的那个自己呢？是身体吗？但我的身体已完全不是离开地球时的身体。是记忆吗？正是记忆让我有理由相信，现在的我延续着过去的我？是心性吗？如果复活后我心性大变，那就变成另一个人了？之前我喜欢纯净明亮，不太适应《三体》的暗黑系主色调：以仁爱为奢侈，以道德为有害。现在我还是不太适应。对此，我深感庆幸。

四　泪水的世界，是多么神秘啊

小王子回到魂牵梦萦的 B612。但他的花儿已不在了，已随风而逝了。当小王子意识到这一点的时候，悲从中来，痛哭流涕。我也跟着他耸动的肩膀悲伤地颤动。昔者桓温见木之长，尚且伤人寿之不堪，攀枝执条，泫然流泪，何况今日小王子亲见花儿之不在，岂不痛哉！[①]之前，在第六颗行星上，那位地理学家说，花是转瞬即逝的。他追问什么叫"转瞬即逝"，也理解了地理学家给这个语词下的定义："随时有消逝的危险"。而现在，小王子实实在在懂得了。理解一个词，还不是懂得一个词。

泪水的世界，是多么神秘啊。泪水何所来，何所为，何所去？离开小行星的时候，他最后一次给花儿浇水，只觉得想哭；而他的花儿撵他赶紧走，因为不愿意让他看见自己流泪。在地球上，他看到一座花园里盛开着五千朵和他的花儿一模一样的花儿，伤心地趴在草地上哭了。同样在地球上，他担心绵羊吃了他的花儿，正在干正事的人类飞行员却不当回事，他抽抽噎噎地哭了起来。人类飞行员放

① 《世说新语·言语》："桓公北征，经金城，见前为琅邪时种柳，皆已十围，慨然曰：'木犹如此，人何以堪！'攀枝执条，泫然流泪。"（刘义庆著，刘孝标注，余嘉锡笺疏：《世说新语笺疏》，中华书局，2007年，第135页。）王羲之《兰亭集序》："向之所欣，俯仰之间，已为陈迹，犹不能不以之兴怀。况修短随化，终期于尽。古人云：'死生亦大矣！'岂不痛哉！……固知一死生为虚诞，齐彭殇为妄作。后之视今，亦犹今之视昔。悲夫！"（严可均编：《全上古三代秦汉三国六朝文》，中华书局，1958年，第1069页。）

下了锤子、螺钉、口渴、死亡，把他揽入怀中，温柔地抚摸着我，说着宽解安慰的话。

复活之后痛哭，小王子感到有什么东西击中了他的灵魂。他出生入死，似乎回到了起点。然逝者如斯，不舍昼夜，起点早已不是离开时的起点。错过了，终究是错过了。在泪水中，他放弃了，犹如《三体》中的程心知道她错过了1890万年前的云天明之时的哭泣："她终于看清了，使自己这粒沙尘四处飘飞的，是怎样的天风；把自己这片小叶送向远方的，是怎样的大河。她彻底放弃了，让风吹透身体，让阳光穿过灵魂。"①

泪水的世界，是多么神秘啊。小王子哭着哭着，在那么一瞬间，他彻底放松了。他觉得自己似乎懂得了宇宙的天命。天命穿过灵魂，而宇宙万物皆备于我。在那一刻，他体验到了悲欣交集。"我感到幸福了。谢谢你，我的花儿。"他双手掩面，喃喃自语。

① 刘慈欣：《三体Ⅲ：死神永生》，重庆出版社，2010年，第491页。

7

过上神采奕奕的生活

天地与我并生，而万物与我为一。

——《庄子·齐物论》

一 即凡而圣

《中庸》引孔子说："人莫不饮食也，鲜能知味也。"

斯泰西·希夫引意大利作家普里莫·莱维（Primo Levi）说："这片无边无际的领域，即日常工作，比南极还鲜为人知……"①

作为法国最早的一代飞行员之一、早期邮政航线的开拓者之一，圣埃克絮佩里的每一次航行几乎都是生死攸关的冒险，从而逼迫圣埃克絮佩里不得不思考终极性的哲学问题，那就是死亡。②

死生亦大矣。阳明谪居龙场驿，居夷处困，已能超脱得失荣辱，然尚未勘破生死。生死问题将阳明逼入精神的临界状态。忽中夜大悟，始知吾性自足，心外无理。于此时，生死一念，自已化去。

祸福相倚，每一次航行九死一生，圣埃克絮佩里在精神上却由此时时得以进入临界状态。航行归来，生命的喜悦在不起眼的寻常之物上洒下神圣的光芒：

---

① ［美］斯泰西·希夫：《小王子的星辰与玫瑰：圣埃克苏佩里传》，第201页。

② 参见［法］纳塔莉·德·瓦利埃、［法］罗斯利娜·德·阿亚拉：《成为小王子：圣-埃克苏佩里手稿书信集》，第349页。

经历一段艰苦航程后看待世界的全新目光，那些树木、花朵，那些女人和微笑，都被我们在破晓时刻的新生染上鲜丽的色泽，那些小小事物的优美合奏带给我们无尽的回报，而那是金钱买不到的。①

生命的喜悦就凝聚在那清晨的第一口温热与香醇中，在那融合了牛奶、咖啡和麦香的气息里；在那个唇齿间盈满芬芳的转瞬，我们与宁静的牧场、异国的农园、遥远的季风达成了交感，就在那一刻，我们与整个地球声息互通。在无数星辰中，唯有我们身处的这颗行星会为了与我们亲近，特地调配出这份香气四溢的破晓飨宴。②

就在那一刻，世界“到时”。通过清晨的第一口温热与香醇，我感通世界，世界温暖如家。《孟子·尽心上》：“万物皆备于我矣。反身而诚，乐莫大焉。”欣合和畅，不亦快哉。

普里莫·莱维说：“如果我们不寄希望于命运赋予一个人不可思议的、独一无二的机遇，那么热爱你的工作（不幸的是，这是少数人的特权）就是世界上最真实、最接近幸福的事。这是很多人都不知

① ［法］圣埃克絮佩里：《风沙星辰》，第36页。

② ［法］圣埃克絮佩里：《风沙星辰》，第22页。

道的事实。”①

二 提 炼

圣埃克絮佩里是一位思者，一位在天空和大地之间飞行的思者。他有机会超越世间而俯瞰之，获得“由天观之”的视角。他给一位老师写信：“当引擎在里奥德奥罗上空轰鸣，我从一个新角度观看世界，回忆、希望和文艺小白脸们的圈子，等等，我感觉自己因而变得明智了。”② 倾听了沙漠的寂静之音，他已满足于生活的物质面向。“当我们只是为了累积物质财富而工作，我们其实是为自己建造了一座牢笼。我们把自己孤独地关进去，灰烬般的货币不能为我们买到任何值得经历的事物。”③

他开始提炼新生活的精神方面。他从日常的工作中采撷崇高的时刻，讲给亲朋好友听，写给读者看。未婚妻路易丝在写给圣埃克絮佩里母亲的信中说道：“他向我描绘在天空和陆地之间经历的或恐怖或崇高的时刻。”④ 通过不断的讲述，圣埃克絮佩里

① [美] 斯泰西·希夫：《小王子的星辰与玫瑰：圣埃克苏佩里传》，第 201 页。
② [美] 斯泰西·希夫：《小王子的星辰与玫瑰：圣埃克苏佩里传》，第 13 页。
③ [法] 圣埃克絮佩里：《风沙星辰》，第 36 页。
④ [美] 斯泰西·希夫：《小王子的星辰与玫瑰：圣埃克苏佩里传》，第 123 页。

不断变化观察视角，从具象的世俗生活中不断提炼出精神性的要素。

1926 年 2 月，圣埃克絮佩里和同事里盖勒飞卡萨布兰卡—达喀尔航线，飞机坠毁在撒哈拉沙漠。同事吉约梅驾驶的另一驾飞机先将里盖勒接走，圣埃克絮佩里孤身一人在沙漠中呆了一个晚上。这是一个顿悟觉解的夜晚。圣埃克絮佩里给很多人写信提到过这次事件，又把它写进了《南方邮航》和《风沙星辰》。在《小王子》中，我们则看到了一个最抽象最纯净的版本。

提炼，从日常中看出神圣的观看之道。庸常的生活并不缺乏高明，缺乏的是发现高明的眼光。我们需要训练自己的眼光，于电光石火的一瞬间捕捉闪现于日常生活中的神圣崇高之光。[①]

然而，本质的东西用眼睛是看不见的。本质的东西，不能视之以目，而是要视之以心、视之以气。《庄子·人间世》:"若一志，无听之以耳，而听之以心，无听之以心，而听之以气。听止于耳，心止于符。气也者，虚而待物者也。唯道集虚，虚者，心

① 艺术家总有类似的经验。比如，卡蒂埃-布列松（Henri Cartier-Bresson）的目标是"在身边的世界里发现超现实主义式的、构图完美的图画。为此，他训练自己的眼光和反应，从而能在电光石火的一瞬间按下快门，捕捉到潜在的图像。他把这样的一瞬间叫作'决定性时刻'"（［英］大卫·霍克尼、［英］马丁·盖福德：《图画史：从洞穴石壁到电脑屏幕》，万木春、张俊、兰友利译，浙江人民美术出版社，2021 年，第 27 页）。

斋也。”

三 责 任

“对你驯养过的东西，你永远负有责任。”（第21章）

责任，有对朋友的，有对行动的。在一定的意义上，后者比前者更为根本。友情种种，最深厚的莫过于战友情，一种在志同道合、同甘共苦、共同克服困难做事的伙伴之间形成的革命情谊。只有共同承担行动责任的时候，才能结成行动伙伴意义上的友谊，那是由责任而来的情谊。何谓“同事”？同事者，共同做事、共同行动的伙伴。“飞行员为递送同一份邮件戮力同心；登山者为登上同一座山峰并肩而行。人们不会因为单单走向彼此而团结起来，只会因为为同一个信仰忘我奋斗而团结起来。”①“唯有当我们透过一个外在于我们的共同目标，与我们的兄弟们结合在一起，我们才能自由地呼吸，而经验也告诉我们，爱不是互相凝望，而是一起凝望相同的方向。唯有连接在同一条绳索上的登山队员才称得上伙伴，他们一起爬向映照在他们心中的同一

① ［美］斯泰西·希夫：《小王子的星辰与玫瑰：圣埃克苏佩里传》，第341页。

座高山。”[①]

在圣埃克絮佩里的思想中，“责任”占据了重要位置。1927年，圣埃克絮佩里被任命为朱比角（里奥德奥罗）机场场长。他在那里待了一年。根据斯泰西·希夫的观察，正是在里奥德奥罗，圣埃克絮佩里领悟到了“责任”：“他写信告诉母亲，希望9月能回家，但只要局势不明，问题悬而未决，他就有责任留下来。这似乎是他第一次使用‘责任’一词，后来证明这个词于他的文字和思考是如此重要。”[②] 正是在里奥德奥罗，“他第一次生出了他的作品赖以生存的那些想法：责任的重要性、由责任而起的友谊、内在生命的优先性”[③]。1943年，圣埃克絮佩里自己也写到，他在沙漠的“无”之中领会到人的内在生命、精神性与神性：“人的内在生命无法被哄入睡，而是只能被加强。人是受精神支配的。在沙漠中，我的神性的价值是什么，我的价值便是什么。”[④]

圣埃克絮佩里的生命中有一位重要的同伴，那就是亨利·吉约梅。他是一位资深的飞行员。圣埃

① ［法］圣埃克絮佩里：《风沙星辰》，第36页。

② ［美］斯泰西·希夫：《小王子的星辰与玫瑰：圣埃克苏佩里传》，第35页。

③ ［美］斯泰西·希夫：《小王子的星辰与玫瑰：圣埃克苏佩里传》，第37页。

④ Saint-Exupery Antonie, *Lettre a un otage*, *Œuvres completes de Saint-Exupery*, T. 3, pp. 23 - 24.

克絮佩里在独立飞行的前夜，便是向他请教，从此结下了深厚的情谊。在《风沙星辰》中，圣埃克絮佩里用第二人称深情地讲诉吉约梅的故事，尤其是那场最华丽的冒险：

那年冬天，在飞越安第斯山的路上，你消失了，你已经消失五十个小时了。我从巴塔哥尼亚的偏远地带飞回北部，在门多萨与飞行员德雷会合。在五天时间里，我们各自开着一架飞机，在崇山峻岭间努力搜索，但没有发现任何踪迹。……我们已经放弃所有希望。……当我再度飞在安第斯山的绝壁与高崖间，我觉得我仿佛不是在搜寻你，而是在那座冰雪大教堂中静肃地守护你的遗灵。

最后，在第七天时，当我在两次飞越行动之间落地吃个午餐，在门多萨那家餐馆里，有个人推门进来叫了一声：

"吉约梅……他还活着！"

啊！就这么一句话，餐馆里所有陌生人都高兴地抱在一起。

两分钟以后，我再度起飞，飞机上坐了两位机械师，勒费弗尔和阿布什。四十分钟之后，我在一条路旁边停了下来，因为我不知怎的居然认出从圣拉斐尔那边把你载出来的车。那是一次美丽的重逢，所有人都哭在一起，我们把你紧拥入怀，你真的活着，重获新生，你创造了你自己的奇迹。然后你说话了，那是你第一句清楚说出来的话，话里带着令人钦佩的、属于人类的骄傲："我对你发誓，我所经历的一切是没有任何动物可以承受的。"①

吉约梅靠着坚强的勇气走出安第斯山。"大地比所有书籍更能让我们深入认识自己，因为大地抗拒着我们。当人类与各种障碍互相较量，他才慢慢发现了自己。"② 安第斯山的绝壁、高崖与暴风雪，让我们认识到了人类的渺小。然而，直面伟大客体的巨大压力，英勇抗争的人类发现了自己的崇高与伟大。

吉约梅的勇气来自责任感，尤其是那种令人震撼的"普世的责任感"：

他的伟大在于他感受到一种责任。他要为自己负责，为他载运的邮件负责，为怀抱希望的伙伴们负责。他们最后究竟是痛苦还是喜悦，关键掌握在他的双手中。他还要参与遥远的人世间还在构筑的新事物。他要为那些负责。在他的工作范围内，他

① ［法］圣埃克絮佩里：《风沙星辰》，第 43 页。

② ［法］圣埃克絮佩里：《风沙星辰》，第 1 页。

觉得自己多少要为人类的命运负责。

有些慷慨宽宏的人类愿意用自己的绿荫覆盖辽阔的大地，吉约梅就是这样的人。身为人类，确切地说就是负有某种责任。就是在看到完全不能取决于他的悲惨处境时，感觉到一种惭愧。就是在伙伴们赢得胜利时，感觉到一股骄傲。就是在植入一块石头时，感觉自己是在为打造这个世界奉献一己之力。[①]

在这里，我们似乎听到了儒家民胞物与、悲天悯人的精神及大乘菩萨道慈悲精神在现代西方的奇妙回响。

“在他的工作范围内，他觉得自己多少要为人类的命运负责。”工作是日常的，世俗的，然而，在庸常的工作之中，我们就可以超脱狭隘的小我，摆脱我执，承担起一种神圣的责任，即凡而圣。“任何事业固可以成或广或狭之私我意识而为，亦可为‘神圣者’而为之矣。”[②] 直以行业而趣归解脱，成就行业瑜珈。

① ［法］圣埃克絮佩里：《风沙星辰》，第49页。

② ［印度］室利·阿罗频多：《薄伽梵歌论》，徐梵澄译，商务印书馆，2003年，第57—58页。

8

战争与和平

道隐于小成，言隐于荣华。
——《庄子·齐物论》

一 会撑裂星球的猴面包树

《小王子》是一部让人心境平和的“疗愈之书”[1]。它纯净脱俗，同时又弥漫着淡得化不开的愁绪与悲情，一种基于在世基本情调的、难以名状的人生愁绪，一种类似于魏晋人感伤天地的宇宙悲情。[2]

《小王子》纯净脱俗，我们常常会忘记，它是一部诞生于二战时期的书。《小王子》题献给好友莱翁·维尔特，而“这个大人生活在法国，正在挨饿受冻”。这实际上正是专门提醒读者注意时代背景。上面提到，莱翁·维尔特就是与《小王子》同期写就的《给一个人质的信》中的“人质”。这封带有纪实性质的书信“是对还生活在德国纳粹铁蹄下的祖国同胞所受的痛苦的思考”[3]。它一开头就批评了漠视战争的和平幻象（“无视怪物胃口”）：“1940 年

---

① ［美］斯泰西·希夫：《小王子的星辰与玫瑰：圣埃克苏佩里传》，第 454 页。

② 《世说新语·容止篇》：“桓温谓谢尚‘企脚北窗下，弹琵琶，故自有天际真人想’。”（刘义庆著，刘孝标注，余嘉锡笺疏：《世说新语笺疏》，第 734 页。）“天际真人”所蕴含的人的觉醒，不是如冯友兰、宗白华、钱穆等人所讲的个性主义的人的觉醒，而是人的宇宙悲情意识的觉醒，在当下同有限达成和解、在有限中达到无限。

③ ［法］纳塔莉·德·瓦利埃、［法］罗斯利娜·德·阿亚拉：《成为小王子：圣-埃克苏佩里手稿书信集》，第 110 页。

12 月，当我途经葡萄牙前往美国时，里斯本对我来说就像一个天堂，它是明澈欢快的，又是阴郁可悲的。尽管关于入侵将至的言论已纷至沓来，葡萄牙却执着于幸福的幻想。”①

对残酷现实世界的清醒认识，对玫瑰和童话的一往情深，二者并行不悖。也许，正是二者的交融，催生了弥漫于《小王子》全书的愁绪与悲情。

《小王子》蕴含着洞见人类根本处境的智慧。其第 5 章写道，小王子居住的 B612 行星很小很小，上面有一种不起眼的猴面包树，如不及时清理，就会撑裂整个星球。第 5 章的插图是三棵大过 B612 小行星的猴面包树。作者说：“这幅画我画得格外卖力，就是为了提醒朋友们有这么一种危险存在，他们也像我一样，对在身边潜伏了很久的危险一直毫无察觉。”

细加品味，“这幅画我画得格外卖力”似乎有一种掩饰不住的“得意”。如希夫所言，“小王子的猴面包树特别难画，最后他把画转了一百二十度再画，结果才算满意。对此他很骄傲，在文本中也有点夸耀”②。

① Saint-Exupery Antonie, *Lettre a un otage*, *Œuvres completes de Saint-Exupery*, T. 3, p. 13.

② ［美］斯泰西·希夫：《小王子的星辰与玫瑰：圣埃克苏佩里传》，第 455 页。

圣埃克絮佩里所讲的"危险"，可以在一般的意义上理解为一种关乎人类的忧患意识（consciousness of angst）。1944 年 7 月 30 日，圣埃克絮佩里给朋友达洛兹写信（这是他生前所写的最后一封信）说到，人类的不幸挥之不去。[①] 不过，倘若想"破译"圣埃克絮佩里在当时所意识到的具体危险，我们似乎有理由认为，其中之一乃是原子弹。《成为小王子》引述了德尼·德·鲁热蒙（Denis de Rougemont）的一则日记，其中写道："早在 1942 年，他就跟我说过战争前夕计划在撒哈拉沙漠进行的实验，但实验发起人担心实验不可控引起连锁反应会炸毁地球。"[②]

居今之世，人类已成长为巨人，地球也已变成"小寰球"。人类历史的发展已进入世界历史阶段。这意味着，各国通过经济、政治、文化等纽带联系在一起，形成你中有我、我中有你的整体发展态势。每个国家都不再是一座孤岛，一国的发展离不开世界的发展；唇亡则齿寒，异国他乡的悲剧经过或近或远的传递常会伤及本国本土。

在此背景下，以争斗、冲突、战争谋求一地一国之利的做法正是"不起眼的猴面包树"，如不及时

---

① ［法］纳塔莉·德·瓦利埃、［法］罗斯利娜·德·阿亚拉：《成为小王子：圣-埃克苏佩里手稿书信集》，第 358 页。

② ［法］纳塔莉·德·瓦利埃、［法］罗斯利娜·德·阿亚拉：《成为小王子：圣-埃克苏佩里手稿书信集》，第 236 页。

清理，就要有大麻烦。人类已经掌握了足以毁灭自身、毁灭地球的科技力量，大规模冲突的结果不再是分出胜负抑或两败俱伤，而是人类文明的整体毁灭。

今时今日，这幅三棵猴面包树的画应该摆在每个人类成员的案头，铭于每个人类成员的心头，真实感受这种貌似不起眼，却可以将人类引入万劫不复境地的危险，如此方能开出人类文明新面向。

二　因驯养而拥有：和平世界的精神基础?

如何避免战争？圣埃克絮佩里诉诸一种从宇宙悲情而来的人类命运共同体意识："为什么要互相仇恨？我们是一体的，我们生活在同一座星球，搭乘的是同一艘船。不同文明如果能相辅相成，共同切磋出新的发展因子，那是一件好事，但要是它们互相吞噬，那就会造成可怕的后果。"①

战争因何而起？因占有而起。

弗罗姆分析说，"个人以一种利己主义的方式去尽情享受有利于和谐、和平和普遍的福利"，这是现代社会的心理前提之一。"利己主义的意思是说，我

① ［法］圣埃克絮佩里：《风沙星辰》，第 229 页。

想把一切都据为己有；能够给我带来欢乐的不是分享，而是占有；我不得不总是那样贪婪，因为占有就是我生活的目的，我占有得越多，我的生存实现得也就越多；我对其他所有的人都抱一种敌视的态度，我想欺骗我的顾客，毁灭我的竞争者和剥削我的工人。我永远不会满意，因为我的愿望和要求是无止境的。我嫉妒那些比我占有得多的人和害怕那些比我占有得少的人。但是，我必须要驱除所有这些情感，像所有人那样面带微笑，装成是一个理智的、诚实的和友善的人。"① 这种占有的欲望势必导致无休无止的战争，包括国与国之间的战争。"占有欲与和平是不兼容的。"②

小王子在遇见以数数来占有星星的商人之前，还遇见了迷恋占有臣民的国王。国王，迷恋由命令百姓而带来的满足感。小王子要离开国王了，于是，国王赶紧任命小王子为大使。国王"深谙"统治之理，明白权威首先得建立在合理的基础上，所以，他只会等到条件成熟的时候才下达合情合理的命令。《老子・五章》："天地不仁，以万物为刍狗。"王弼

---

① [美] 埃里希・弗罗姆：《占有还是生存：一个新社会的精神基础》，第8页。

② [美] 埃里希・弗罗姆：《占有还是生存：一个新社会的精神基础》，第9页。

注："天地任自然，无为无造，万物自相治理，故不仁也。"[①] 我们的国王也是无为而无不为嘛！国王的命令，虚假的命令，有"无不为"之假象，亦有"无为"之假象。为何不是真正的"无为""无不为""无为而无不为"？真正"无不为"，须有合目的性之维。真正的"无为"，须有能动作为的面向，"任"是主体能动作为（包括与单一客体的直接交互、名法等方面的制度性建构、造势与用势等层面）和客体适性受用的统一。

小王子驯养了他的花，于是他"有"一朵花儿。这里的"有"不是数星星的商人所理解的"占有"，而是愿意互为对方付出的"拥有"：小王子给花儿浇水、盖罩子、遮风障、除虫子，在离开她之后总是惦记着她；花儿给了小王子四溢的芳香、照人的光彩、恬淡的柔情，还有绝别之际听其离去的骄傲。因为关心，需要放手。

因驯养而拥有，能否成为和平世界的精神基础？

圣埃克絮佩里把《小王子》献给已是大人的莱翁·维尔特，他有一个很认真的理由："这个大人是我在这个世界上最好的朋友。"更确切地说，这个理由的表达需要突出"拥有"："这个大人是我在这个世

① 参见楼宇烈：《王弼集校释》，中华书局，1980年，第13页。

界上拥有的最好的朋友。”（This grown-up is the best friend I have in the world.）莱翁·维尔特是一位作家，年长圣埃克絮佩里二十二岁。1931年，他们在巴黎的双叟咖啡馆（Les Deux Magots）相识，结下了一段天长地久的友谊。因观念相同而产生的友谊、本体论的友谊、真正的友谊不会破裂。[①] 朋友是一体的。“朋友就是一个人心中为你着想，会为你打开一扇或许从不向别人敞开的门。……那时我们已经结为一体，即使在别处他是店主，我是军官，或者他是园丁，我是水手。我超越了我们的分歧见到了他，成了他的朋友。……你好好款待他，请他坐下，倾听他说话。于是我们就都感到幸福了。”[②]

狐狸跟小王子说，你要是驯养了我，我的世界就会因你而改变。我对麦田就不再无动于衷了，因为金黄色的麦子会让我想起你。“要是你驯养了我，我的生活就会变得充满阳光。”狐狸和小王子交了朋友，他听麦浪就不一样了。飞行员和小王子交了朋友，他抬头看星星就不一样了。小王子和花儿交了朋友，倘若小羊吃掉了这朵花儿，那么，对于小王子来说，“满天的星星突然一下子都熄灭了”！（第

---

① ［法］纳塔莉·德·瓦利埃、［法］罗斯利娜·德·阿亚拉：《成为小王子：圣-埃克苏佩里手稿书信集》，第118页。

② ［法］纳塔莉·德·瓦利埃、［法］罗斯利娜·德·阿亚拉：《成为小王子：圣-埃克苏佩里手稿书信集》，第121页。

7章）

1926年，圣埃克絮佩里在首航前夜向吉约梅这位飞行老兵请教。他的领导迪迪埃·多拉生动地叙述了二人的彻夜长谈："谈话越来越深入，吉约梅显露出一位诗人的灵魂。他在与圣埃克苏佩里的交流中发现了自我。我立刻明白，两人之间诞生了一份珍贵的友谊。"① 吉约梅展现了他真正的内心世界，圣埃克絮佩里走进它、受益于它、欣赏它，使它成为自己的一部分。两人在交流中发现了、生成了共同的一部分自我。而且，他们共同体会到了一种超越小我的神圣情感。这种情感在圣埃克絮佩里那里得到明显的表述。在与吉约梅交谈之后，"他漫步在图卢兹的街道上，竖起衣领抵御寒风，陶醉在一种混合了自豪和焦虑的甜蜜之中，像一个刚刚坠入爱河的人。……'我独自与星星为知己。'他心想，品味着要承担的新责任，还有这份工作的宗教意义。他从亮着灯的商品橱窗前走过，发现自己身处'美好事物的天堂'，却只能品尝到'一种疏离的陶醉'。他不需要这些尘世间的小玩意，此时他正'笼罩着友谊的光环，像平安夜的一个孩子，期待着惊喜，

① ［美］斯泰西·希夫：《小王子的星辰与玫瑰：圣埃克苏佩里传》，第167页。

为幸福时刻的到来满心欢喜地做着准备。’”①

因为驯养，我有一个朋友。通过朋友，我有了一个世界。朋友是我的朋友，是独一无二的朋友。通过朋友而拥有的世界是我的世界，也是独一无二的世界。当我们说“我在世界上有一个朋友”，这里的“在世界上”不仅是说朋友在世界上，而且更重要的涵义在于，这个朋友帮助我建立了我的世界。当金色的麦田因小王子而感动狐狸的时候，狐狸便驯养了金色的麦田。风吹麦浪的声音让它欢喜，周遭的世界是如此美妙。欣赏麦浪、细闻风声，即是与麦浪、与风声建立驯养关系。

我与世界建立羁绊，因此，我操心（besorgen）、我牵挂。因为牵挂，被牵挂者变成其同类中殊出的存在，成为独一无二的“这”。因为牵挂者，牵挂成为同类关系中殊出的关系，独一无二的“这”。因为牵挂，我成为有羁绊者，成为在世的独一无二的“这”。

我牵挂，因此，我要为他做点什么。因为牵挂，小王子需要回到花儿身旁。因为牵挂，“我”把《小王子》献给正在法国挨饿受冻的维尔特，但愿他能从中得到安慰。“拥有”不是据为己有，而是兴发出

---

① ［美］斯泰西·希夫：《小王子的星辰与玫瑰：圣埃克苏佩里传》，第168页。

一种为他的行动。以对方为目的，而不是以对方为手段。我有故我在：我拥有，故我行动。

三 答 问

我们担心“不起眼的猴面包树”。且让我们以答问的形式展开我们对于人类困境的忧思。

问：当前世界国际形势复杂多变，国家、民族、文明等等之间的冲突给人类未来的发展蒙上了阴影。从哲学的角度，我们怎么看?

答：有一句大家都熟悉的话：哲学是时代精神的精华。哲学工作自然有它学科内部的自身逻辑，但与此同时，哲学不完全是书斋中的学问，真诚的哲学家总是要面对当下生活世界，真切感受时代的脉搏，把握时代的主要矛盾，进而淬炼出自己的哲学问题。这样的哲学问题，既“得自现实”又高于现实，既是学术的又是能够“还治现实”的。我们古人讲，“君子而时中”（《中庸》）；哲学思考也需要“时中”的品格，通过运思来切中“时”，切中时势及时代精神。

居今之世，我们迫切需要在整个人类文明的演化脉络中理解我们现在身处何“时”，思考人类文明向何处去，以及中国在此趋向中的位置与天命。全球秩序面临新旧交替的大变局，既是波谲云诡的，又是波澜壮阔的。人类历史演变面临前所未有之大变局。“人猿相揖别。只几个石头磨过，小儿时节。”自此以后，人类文明迅速演化，而今日变化之剧更胜从前。今天，我们不妨大胆发问：人类文明内部是否也可能发生新旧相揖别的事件，而现在就已经到了那一时刻？尽管我们尚不清楚人类究竟向何处去，但至少有一点可以看得很清楚：文明冲突无法将人类带向光明的未来。

问：您怎么看美国哈佛大学教授塞缪尔·亨廷顿（Samuel P. Huntington）的“文明冲突论”？

答：亨廷顿的“文明冲突论”影响很大。不过，我们可能多多少少误解了亨廷顿的主张。1993 年，亨廷顿在美国《外交》季刊发表了一篇文章《文明的冲突?》，引发广泛讨论。后来亨廷顿在《文明的冲突与世界秩序的重建》一书的“前言”中抱怨说，该篇文章是尝试提出问题和假设，但“它的标题所带有的问题却被普遍忽视了”[①]。究其实质，亨廷顿实际上乃是强调文明冲突的现实与潜在威胁，而非鼓吹文明冲突。亨氏文明冲突论的主旨，乃是呼吁放弃以美国为代表的西方普世主义，从而避免文明

① ［美］塞缪尔·亨廷顿：《文明的冲突与世界秩序的重建》，周琪等译，新华出版社，1996 年，第 1 页。

的冲突。“在正在来临的时代，文明的冲突是对世界和平的最大威胁，而建立在多文明基础上的国际秩序是防止世界大战的最可靠保障。”① 而避免文明冲突的关键，就在于克服文明的普世主义：“文化的共存需要寻求大多数文明的共同点，而不是促进假设中的某个文明的普遍特征。在多文明的世界中，建设性的道路是弃绝普世主义，接受多样性和寻求共同性。”②

问： 从现实看，一些国家似乎把“文明冲突”当作既有事实，甚至当作制订外交政策和运行国际政治事务的理论前提。在此情况下，人类应如何避免文明的冲突？

答： 我基本上同意这个观察。对于这样的国家，我们也不能一味地批评之、谴责之，甚至强势“攻击”之，而是要提醒它们注意：从现实功利的角度看，文明交流互鉴符合长远利益和根本利益；从价值理想的角度看，提倡文明交流互鉴乃是民主的题中应有之义，也是一流思想家所共许的根本价值。

《小王子》洞见人类根本处境，借助 B612 小行星上的猴面包树的意象敲响警世之钟。以争斗、冲

---

① ［美］塞缪尔·亨廷顿：《文明的冲突与世界秩序的重建》，第 372 页。
② ［美］塞缪尔·亨廷顿：《文明的冲突与世界秩序的重建》，第 369 页。

突、战争谋求一地一国之利的做法正是“不起眼的猴面包树”，如果不及时清理，就要捅大漏子了。

再者，文明交流互鉴乃是民主的题中应有之义。1916 年，杜威这位美国本土哲学实用主义的重要代表人物在《民主主义与教育》中写道：“我们选择了两点来测量社会生活的价值，这两点就是：一个团体的利益被全体成员共同参与到什么程度，和其他团体的相互作用充分和自由到什么程度。换言之，一个不良的社会对内对外都设置重重障碍，限制自由的往来和经验的交流。倘有一个社会，它的全体成员都能以同等条件，共同享受社会的利益，并通过各种形式的联合生活的相互影响，使社会各种制度得到灵活机动的重新调整，在这个范围内，这个社会就是民主主义的社会。”① 易言之，如果一个社会对外设置重重障碍，限制自由的往来和经验的交流，那么，它就是一个不良的社会，就是一个不民主的社会。一个民主的国家，一个良好的社会，必然主张文明交流互鉴而非文明冲突。易言之，我们很难想象，一个主张文明冲突的社会是一个民主的社会。

问：如何理解“民主的社会”？

---

① ［美］约翰・杜威：《民主主义与教育》，王承绪译，人民教育出版社，2001 年，第 109 — 110 页。

答：今天我们可以比较清醒地看到，现实中美国式民主面临金钱政治与民粹主义的双重腐蚀，并非民主的完美典范。自然，这并不是全盘否定美国式民主在某些方面的积极意义，而是摒弃对于民主的本质主义、一元论思维模式。现代性是未完成的（既济而未济）、多元的，同样，民主也是未完成的、多元的。仅以西方为例，美国、欧洲大陆、英伦三岛、斯堪的纳维亚半岛，如此等等，其现代化道路不尽相同，其民主实践亦不相同。世界潮流，浩浩汤汤，历史并没有终结，包括中国在内的世界各国都需要努力创造具有自身特色的更加完善的民主形式，为人类文明的未来贡献智慧。

一元论思维模式必然导致绝对真理在我的独断论。圣埃克絮佩里写道："若想理解人类及人类的需求，从他的本质上认识他，我们就不该各自坚持自己认为的唯一真理，并据以制造对立。没错，你有道理，我也有道理，我们都有道理。逻辑可以用来推论出所有道理。就算一个人决定把世上所有不幸都归咎于驼背的人，他也找得出他的道理。""人类一旦接受分裂的状况，就仿佛一整部《古兰经》所述皆是不可撼动的唯一真理，于是狂热主义随之而来。假如我们想要挖掘出人类的本质，就必须忘记——哪怕只是暂时忘记——人与人之间的分裂状态。……真理应该能够使世界简化，而不是造成混乱。”①

补充一点个人经验：我也认识一些美国朋友，从他们身上，我强烈地感受到美国人民对于和平的热爱、对于文明交流互鉴的价值认同。德安博（Paul D'Ambrosio）教授是美国人，他在华东师范大学主持中国哲学全英文硕博士项目多年。2022年始，他组织了“四海为学”（Collaborative Learning）跨文化共学平台，邀请来自世界各地的从事中国哲学研究的教师、学生、专家和爱好者，创造一个可以相互学习、相互挑战的空间，通过研究中西哲学运思中具有永恒价值的方法论来开展研修共学。他这样阐发搭建这个平台的用意：“四海为学”是一个从事智性对话和研修的全球性平台。一个分裂的世界需要更多的相互理解。平台的这一使命具有双重目标：首先，最迫切的希望，乃是培养新一代学人，他们能够相互理解彼此的文化，并且在差异中展开有意义的互动。其次，为加强跨文化联系作出贡献。通过这种培养方式，我们希望能够在现实世界中产生持久的积极影响，哪怕只是微不足道的影响。小小涟漪也能引发滔天巨浪。挑战阻碍彼此学习互鉴

① ［法］圣埃克絮佩里：《风沙星辰》，第226页。

的偏见，应当成为每一位学者的使命。[①]

问： 避免文明冲突，推动文明交流互鉴，需要克服文明的普世主义。“克服”可以说是“破”的工作，那么，如何“立”呢？

答： 破和立是相辅相成的工作。不破旧，不足以为立新腾出空间；不立新，则难以真正彻底破旧。人类未来文明的发展，亟需树立超越民族本位、国家本位和文明本位而将世界前途系在心上的共同价值。

共同价值有别于普世价值。用哲学术语来说，普世性是从言的（de dicto），共同性是从物的（de re）。美国学者尚克澜（Sean Clancy）教授的专著《道德哲学九章》也用到了“从言的”（de dicto）和“从物的”（de re）这对概念。他解释说，“从言”（de dicto）的意思接近于“从语词的方面来说”——因此，如果以从言的态度对待某物，那么，焦点就会放在它的（用语词表述的）抽象描述，而不是放在符合这一描述的具体事物；“从物”（de re）的意思接近于“从事物的方面来说”——因此，如果以从物的态度对待某物，那就是直接指向某个特定的具体的事物。他尝试用思想实验说明二者之别：在曾经

① 参见《杨国荣：如何做哲学——“四海为学”跨文化共学平台首场讲座》，澎湃新闻2022年9月27日。

的美国西部，有一位王五，他是当地最好的枪手。从外地来了两位职业枪手张三和李四。张三是来挑战当地最好的枪手的，试图以此扬名立万；李四则是专程来找王五。两位枪手对待王五的态度是不一样的。张三跟王五比试，是因为恰巧他是当地最好的枪手；张三要跟当地最好的枪手比试，不论他是王五还是赵六；如果张三不知道王五是当地最好的枪手，就不会跟他比试。因此，张三是以从言的方式对待王五。相形之下，李四跟王五比试，是因为他就是王五，至于他是不是当地最好的枪手则无关宏旨。因此，李四是以从物的方式对待王五。[①] 普世价值是从言的（de dicto），其实质，乃是将来自某一文明（尤其是西方文明）的价值变成先在的抽象概念，进而外加于另一文明之上。共同性是从物的（de re），将焦点放在如何从多元文明交流互鉴、共生共存的具体实情中生长出大家共同接受的价值。

问：创造共同价值需要从不同的文明中汲取智慧。中华文明源远流长，其中可资利用的思想资源有哪些？

答：中华文明的思想资源很丰富，兹举一例。中国当代社会学家费孝通主张，用“场”的概念来

① 参见［美］尚克澜：《道德责任九章》，华东师范大学出版社，2022 年，第 193 — 196 页。

说明不同的文化相互接触、冲突、嫁接直至融合的关系，以对治边界清晰的文化冲突论："我注意到现在西方的欧美国家里出现了一种把文化和国家这个制度挂钩的倾向。把国家的领土概念引申到文化领域中来，把不同文化划出界线，以强调文化冲突论。我意识到这种看法是有很大危险的。如果把边界的概念改成'场'的概念，也许可以纠正这个倾向。'场'就是由中心向四周扩大，一层层逐渐淡化的波浪，层层之间只有差别而没有界线，而且不同中心所扩散的文化场在同一空间互相重叠，也就是在人的感受上可以有不同的生活方式、不同的规范，可以自主地选择。把冲突变成嫁接、互补导向融合。"① 不同波浪相互叠加所形成的水波纹，这样的"文化场"意象给我们提供了寻求共同性的新视域。

改变思维，转换视域，从"以边界观之"到"以场观之"，这是人类生存现状所提出的内在要求，关乎人类自身的生死存亡。人类已经生活在一个你离不开我，我离不开你的小小寰宇之上了，不同文明之间的相待之道必须从"各美其美"转向"美人之美"，进而实现"美美与共，天下大同"的境界。费

---

① 费孝通：《反思·对话·文化自觉》，载费孝通：《文化的生与死》，第180页。

孝通说道：“‘各美其美’就是不同文化中的不同人群对自己传统的欣赏。这是处于分散、孤立状态中的人群所必然具有的心理状态。‘美人之美’就是要求我们了解别人文化的优势和美感。这是不同人群接触中要求合和共存时必须具备的对不同文化的相互态度。‘美美与共’就是在‘天下大同’的世界里，不同人群在人文价值上取得共识以促使不同的人文类型和平共处。”① 如何取得共识？在理智层面，我们需要努力“创造出一个跨越文化界限的‘席明纳’(seminar)，让不同文化在对话、沟通中取长补短”②。然而，仅有理智层面的对话显然是不够的，语言层面的沟通是必要的，但不会是充分的，我们不能指望“仅仅以理智就将整体的世界整理得秩序井然”③。归根结底，是人们“带着思想上一直到行为上多种多样的生活方式进入共同生活”④，然后共同创造出共识和共同价值。

创造共同价值需要从不同的文明中汲取智慧，

---

① 费孝通：《反思·对话·文化自觉》，载费孝通：《文化的生与死》，第198页。

② 费孝通：《反思·对话·文化自觉》，载费孝通《文化的生与死》，第198页。

③ [德] 卡尔·雅斯贝尔斯：《论历史的起源与目标》，李雪涛译，华东师范大学出版社，2018年，第110页。

④ 费孝通：《人的研究在中国》，载《费孝通文集》第十二卷，群言出版社，1999年，第50页。

这也提醒我们注意，可资利用的资源当然不限于中华文明。上文引用了杜威关于民主的论述。与之相应，杜威主张："凡是能使人们不受地理限制，团结起来从事协作性的人类事业的事情，都必须加以强调。就全体人类相互之间的更充分、更自由，和更有成效地联合和交往而言，国家主权属于次要的和暂时的性质，这个思想必须灌输给学生。"①

罗姆巴赫表达了类似的想法："当我们一直回溯到我们的实在之根源中时，那种对其他人的感知就是我们对我们自身最内在的感知。但是只有在人的感知能力的少数例子中才表现得如此明显。这种同一性可能在母亲和孩子之间关系的感知中大致地实现，在那种关系中当孩子感知到疼痛的时候，母亲在自身之中深刻地感知到了孩子所承担的疼痛。只有当人对他们的痛苦能够如此接近地，就像母亲对孩子那样去感知的时候，人才合乎人性地共同生活。但是人的这个共同自我，一直到进入感知中时才产生出来，并且合乎感知地被造就。有思想就指引向这个思路，它敢于通过一种长久以来已经失落的实在性意义来言说：'人人皆兄弟。'（席勒）只有当这种兄弟关系在其最内在之处不仅仅将自身理解为亲缘关系，而是被感觉为、体验为同一并且就是同一

① ［美］约翰·杜威：《民主主义与教育》，第109页。

之时，人之间的兄弟关系才成为一种实在性。”①

人人皆兄弟（席勒），四海之内皆兄弟（子夏）。圣埃克絮佩里说，“世间存在着一种人类关系的高度，可以让感恩或怜悯这些情感不再有意义，在那里，我们终于能像获释的囚犯般自由呼吸”②。

值得注意的是，罗姆巴赫比杜威走得更远：“人类必须从众多的民族出发生长起来。对于这一点，一个单纯的关于一般‘人类’的普遍意识根本不够，在这里一个完全具体的、具体化的总的生命是必须的，这个总的生命能够在整体人类中重新找到自身，并且由此出发有生气地、扩展地以及提高地回归。这是当代的伟大任务。可能还不仅仅是扩展到一个统一的人类意识，而且扩展到一种统一的万物意识（Geshoephlichkeitsbewestsein）。‘我们’，它所指的并不仅仅是我们人，根本上乃是指我们这些有生命之物。动物和植物，大地以及元素以及一切所是，全都属于其中。而这一点不能仅仅‘被意识到’，而是必须被体验并被激活，并且只有当人在不同层次中达到并体验过所有这些、将它们与自身关联并且带入其最自身的自我性构造过程中时，人才真正是

① ［德］罗姆巴赫：《哲学符号中的民族间相遇》，载［德］罗姆巴赫《作为生活结构的世界：结构存在论的问题与解答》，第 273 页。

② ［法］圣埃克絮佩里：《风沙星辰》，第 36 页。

‘人性的’。”①

无论是“人类意识”还是“万物意识”，不能停留在明白道理的理智层面，而是必须被真切地体验到。只有这样，我与他人、我与万物的“痛痒相关”才是当下呈现的实情，而非一个为了理解方便而设的隐喻。

① ［德］罗姆巴赫：《“我”》，载［德］罗姆巴赫《作为生活结构的世界：结构存在论的问题与解答》，第 105 页。

9

伦理学

上与造物者游，而下与外死生、无终始者为友。

——《庄子·天下》

一

《小王子》告诉我们，经由驯养，我们和人建立情感联系，和天地间的物建立情感联系，臻乎其极，则是和宇宙天地建立情感联系。费孝通曾指出，人对于自然的态度“具有某种‘伦理’的含义，决定着我们‘人’如何处理自己和周围的关系……问题的核心是，我们把人和人之外的世界视为一种对立的、分庭抗礼的、‘零和’的关系，还是一种协调的、互相拥有的、连续的、顺应的关系”[①]。圣埃克絮佩里传达了一种驯养天地的体验。经由驯养，天地呈现出深邃而异乎寻常的伦理意蕴。也许，正因为这种驯养天地的体验，在《小王子》那里，一切都是极纯净极简单的，却仿佛有声音来自宇宙的深处，摄人心魄。

小王子在漫游中不断成长，不断领悟良好生活之道。就此而言，这也是小王子修习伦理学的过程。当然，小王子没有现代伦理学家的理论负担。对于他来说，伦理之为学，首先不是理论，而是提升生

① 费孝通：《试谈扩展社会学的传统界限》，载费孝通《文化的生与死》，第239页。

存境界的成人之学。[①] 近现代以来，随着学科的分化，伦理学在相当大的程度上从原来寻求良好生活之道的智慧之学，蜕变成了在学科框架内自得其乐的一种专业知识。其流弊则是如中国现代哲学家金岳霖所说的那样，“被一些思维的手段推上系统思辨的眩目云霄，或者推入精心雕琢的迷宫深处”[②]。伦理学的这种蜕变，也许是一种进步，但至少在下面这个意义上，未尝不是一种令人遗憾的退化，那就是伦理学研究活动与伦理学家的生活本身之间可以彼此疏远、相互分离。因此，我们不难看到，一些伦理学家在学术论著中研究伦理，而在实际生活中可以完全不讲道德。伦理学原本跟生活、跟人之在有着密切联系，但现代伦理学家可以完全只谈伦理学“内部”的理论，而不用谈生活世界、不用关心人之在了。

二

圣埃克絮佩里很重视语言。他不仅能用语言写

① 在熊十力那里，也有“学”“论”之别：哲学首先是知行合一的“学”，然后才是在话语中展开的理“论”。（可参见拙文：《本体的开显和哲学话语的创生：熊十力阳明学的一个面向》，载《贵阳学院学报》2016 年第 5 期）

② 金岳霖：《中国哲学》，《金岳霖全集》第 6 卷，第 375 页。

出感人的作品，而且对语言本身有深刻的反思。他认为，“语言本身就是生活”[①]。哲学家海德格尔、维特根斯坦都说过类似的话。海氏说，语言是存在的家（Die Sprache ist das Haus des Seins）。维氏说，本质在语法中道出自身（Das Wesen ist in der Grammatik ausgesprochen）。“生活”“存在”归属于世界，本质是世界的秩序，而语法则是语言的秩序。三句话都强调语言内在于世界、世界内在于语言的密切关系。进而言之，万物皆流，世界在变，语言也在变，但语言的变化似乎赶不上世界的变化。圣埃克絮佩里观察到，一方面，语言滞后于今天的世界，另一方面，语言又使我们迷恋昨天的世界：“我们周围的一切，人和人之间的关系、工作条件、风俗习惯都变化得那么迅速，人们的心理状况从根本上受到了冲击。生离、死别、距离、返回等字眼虽然照旧未变，但它们所包含的概念和现实已经今非昔比了。为了掌握今天的世界，我们使用的还是为昨天世界而创造的语言。我们觉得过去的生活更符合我们的本性，唯一的理由就是因为它更符合我们的语言。”[②]

从运用语言的角度看，《小王子》对“apprivoiser”

① ［法］圣·埃克苏佩里：《小王子心灵之旅》，第100页。

② ［法］圣·埃克苏佩里：《小王子心灵之旅》，第100页。

一词的处理颇耐人寻味。一言以蔽之，圣埃克絮佩里将“apprivoiser”驯养为一个说理词了。

在法语中，“apprivoiser”是一个日常用语。斯泰西·希夫在传记中提供了用例：“刚到朱比角没几个月，他告诉母亲，他驯养了一条变色龙。‘我在这里的任务就是驯养，’他接着说，‘驯养是一个好听的词，很适合我。’他又驯养了瞪羚，但对沙漠里的一种沙狐，就是耳廓狐，他就没有那么好的运气了。……他完全把握了他的任务，那就是与西班牙人、摩尔人，还有这片沙漠面对面地打交道；他找到了自己的使命。”[①] 驯养变色龙、瞪羚或耳廓狐，这是“驯养”的典型用法。而圣埃克絮佩里把自己的任务和使命理解为“驯养”，并以西班牙人、摩尔人、沙漠为对象时，其实已经开始偏离这个词的典型用法了。《玫瑰的回忆》也提供了一个“驯养蝴蝶”的典型用例：“是在巴黎，而不是在萨尔瓦多，大地动了，我经历了世界上最大的地震。现在我要去收获热带的水果，驯养蝴蝶，和流水一起歌唱。永远，直到生命的最后……”[②] 这段文字由圣埃克絮佩里的夫人龚苏萝写于离开伤心之地巴黎返回故乡萨尔瓦

① ［美］斯泰西·希夫：《小王子的星辰与玫瑰：圣埃克苏佩里传》，第14页。

② ［法］龚苏萝·德·圣埃克絮佩里：《玫瑰的回忆》，第154页。需要说明的是，译本中的用词是“驯服”而非“驯养”。

多的途中。小王子离开玫瑰的时候，玫瑰说了一句话："我既然想认识蝴蝶……"（第 9 章）如果我只是认识（connaitre，know）蝴蝶，那么，我跟蝴蝶的亲密程度自然远远赶不上我驯养蝴蝶，或者说我跟蝴蝶处熟或要好。可以顺便一提的是，周保松教授解读《小王子》依据的是缪咏华女士的译本，其中这句译为："我想跟蝴蝶交往……"[①] 就所关涉者之关系的亲密程度而言，"交往"似乎是介于"认识"与"驯养"之间的一种状态。周保松教授顺着"交往"的思路，设想了小王子离开后玫瑰自主独立的可能性："玫瑰开始意识到，小王子其实不是她生命中的唯一，她可以有其他追求，例如和蝴蝶做朋友，因为据说蝴蝶很美，而玫瑰喜欢美的东西。"[②]

圣埃克絮佩里使用"apprivoiser"一词，则自觉赋予它一种不同于日常用法的非常用法，或者用金岳霖的话来说，一种"离俗"的用法。[③] 斯泰西·希夫在传记中写道："'驯养'对圣埃克苏佩里来说，一直近乎一个宗教表达。他第一次按照广义来使用它大概是在 1927 年 1 月 1 日，当时他独自在阿利坎特的一家咖啡馆里迎接新年。凌晨 2 点，他坐下来给

① 参见周保松：《小王子的领悟》，第 117 页。

② 周保松：《小王子的领悟》，第 118 页。

③ 参见拙文：《有"思"有"想"的哲学语言：金岳霖的语言哲学及其当代意义》，载《哲学动态》2018 年第 4 期。

勒妮·德·索西纳写信。……‘你驯养了我，’他对她说，‘坦白地说，被驯养是甜蜜的。只是你也会让我的日子蒙上忧伤。’”① 勒妮·德·索西纳是他一位密友的妹妹，他曾写信追求她而没有成功。《小王子》中的“apprivoiser”也是离俗的用法。在apprivoiser的名下，几乎拢聚全书所有的主题，友谊、爱情、独一无二、本质、责任、聚散、成长、自我、世界，如此等等。

经过圣埃克絮佩里的努力，“apprivoiser”可以说被打磨成了一个富有哲学意蕴的语汇。由日常语言锤炼加工而成的哲学语汇，可能并不会因其日常性而缺乏哲理性或思想力度。相反，这样的哲学语汇因为出于生活世界而易于返回生活世界，并且因为出于日常感受而易于返回日常感受。我们用这样的语汇做哲学，可以呈现某些有所体会然未可明述的默会之知，而所做出来的哲学也可以反过来作用于我们自身，安吾身，立吾命。②

经过圣埃克絮佩里的锤炼，“apprivoiser”已是一个意蕴丰厚的伦理学语汇。换个角度讲，它传达了一个伦理学厚概念。驯养语言，即驯养概念。驯养

① ［美］斯泰西·希夫：《小王子的星辰与玫瑰：圣埃克苏佩里传》，第14—15页。

② 参见拙文：《感受与中国哲学如何做事——对“事”哲学的方法论考察》，载《哲学动态》2020年第3期，第46—54页。

一个伦理学厚概念，除了伦理学学理贡献之外，同时也就为实现生活之道贡献一种概念上的善品（conceptual good）。[①] 就“驯养”这一厚概念而言，它指导我们如何以驯养的方式与人、与物、与天地打交道。伦理学厚概念得自现实而还治现实。这也合乎伦理学的源初性格：既出离于生活，获得反思生活之道的必要间距，同时又无时不在生活之中，避免“往而不返”，走向过度反思。

三

以上，我们其实从不同的角度探讨了《小王子》的伦理学意蕴。首先，我们通过《小王子》探讨以驯养为关键点的伦理学问题。反思天地宇宙的伦理

① 贡献概念上的善品，其相反面则是失去概念上的善品。萧阳教授在“大伦理学”暑期线上研讨班（2020 年）研读了戴蒙德（Cora Diamond）启人深思的论文《失落你的概念》（Cora Diamond，“Losing Your Concepts”，*Ethics*，Vol. 98，No. 2（Jan.，1988），pp. 255－277）。在萧阳教授看来，戴蒙德认为一个概念词是一个“好东西”，失去一个概念或概念词（或者概念词的意思变了），就失去了一个“概念上的好东西”（a conceptual good）；戴蒙德以英文词“lust”为例，讨论其现代义（“性欲”）如何有别于它在莎士比亚十四行诗中的意义，由此我们就失去了一个“概念上的好东西”。萧阳教授还建议，汉语言哲学应该论证以下命题：汉语言中的概念词决定使用汉语的人如何思想与生活。笔者大致同意萧阳教授的洞见，除了以下一点保留意见：“决定”一词程度太强，或许不如改用“影响”，既不显得那么绝对，同时也避免“单向度”之嫌，为思想与生活反作用于概念词留下余地。

意义，反思伦理学作为提升生存境界之“学”的面向。其次，在做伦理学的方法论层面上，观察圣埃克絮佩里如何“驯养语言”，即如何与“驯养”（apprivoiser）这一日常用语处熟，将其打磨、驯养成一个富有伦理学意蕴的语汇。这两层对于我们如何做汉语言伦理学不无启发。

如何做汉语言伦理学？也许这样的话题偏于学术了，离我们吃喝拉撒喜怒哀乐爱恶欲的日常生活比较远。但是，我们的日常生活毕竟不限于此。学术也可以是我们日常生活的一部分。

《小王子》无疑是一个非典型的伦理学文本。就伦理学的做法而言，首先值得注意的是，汉语言伦理学尝试跳出现有伦理学研究范式所框定的文本范围，拓展伦理思考的题材。按照萧阳教授“大伦理学”的设想，伦理学无处不在，并非一个专门的哲学知识门类，更非现代道德哲学范式（如道义论、后果论、美德论等规范伦理学理论）所能涵盖。①

---

① 萧阳教授曾多次为华东师范大学哲学系研究生、本科生开设“大伦理学”课程（2020 年线上，2023 年线下，2024 年线下），其伦理运思利用了不少小说素材。为了突破现有的学科范式，笔者也曾尝试将《诗经》纳入中国哲学研究的视野（参见拙文：《〈诗经〉的哲学意蕴——以〈关雎〉〈鹤鸣〉为例》，载《人文杂志》2010 年第 3 期）。实际上，前辈学人萧萐父先生已讨论过哲学史研究的泛化问题，主张哲学与文化的“两端互补和循环往复”（萧萐父：《哲学史研究中的纯化与泛化》，载《吹沙集》，巴蜀书社，2007 年，第 417 页）。如朱承教授所言，（转下页）

“汉语言伦理学”也是做中国伦理学的一种尝试。创建既有中国气象又有世界影响的哲学话语，已是当代中国哲学面临的时代大问题。就伦理学领域而言，在此问题的观照之下，不少学者提倡“做中国伦理学”或“再写中国伦理学”。进而言之，关于做中国伦理学，学界已不再停留在呼吁和倡导“应如此做”，也不再满足于思考“该如何做”，而是推进到“着手做起来”，也说是说，面向伦理问题做出实实在在的伦理学理论思考，创建具有中国气派的伦理学话语。[①] 汉语言伦理学的着眼点在于：在古今中西之争的背景下，我们如何用汉语做伦理学，如何从汉语切入，以哲学语法考察为进路，开展中国伦理学运思，为世界性百家争鸣贡献新的元点与智慧。[②]

（接上页） 萧先生的主张“实际上是拓宽了哲学史研究的思想资料来源和问题意识来源，对于我们从事哲学史研究的后学有着极大的启发”（朱承：《诗酒中的美好生活与思想世界——哲学史“泛化”书写的一个尝试》，载《现代哲学》2019 年第 6 期）。

① 如有学者从“情”作为一个厚概念的视角思考中国现代性道德困境。参见付长珍：《探寻中国伦理学的精神“原乡”——“情”的概念史重访》，载《道德与文明》2019 年第 5 期。

② 可参见拙论：《汉语言哲学发凡》，高等教育出版社，2015 年；《汉语言哲学和中国哲学话语创建》，载《同济大学学报（社会科学版）》2022 年第 4 期；《汉语言哲学研究》，广西师范大学出版社（即将出版）。

附 《齐物论》新编及释

果有言邪？其未尝有言邪？

——《庄子·齐物论》

到底还是敝帚自珍，笔者忍不住把《〈齐物论〉新编及释》的正文附在后面。给出三个理由，为它出现在这里作正当性辩护：其一，毕竟，是它激发了《〈小王子〉新编》的写作；其二，它对《齐物论》文本的重构，至少有那么一点点好玩，而且它也努力在“文本游戏”之中说一些我自认为还值得思考的道理；其三，除了《〈小王子〉新编》，上文其他章节也不时闪现庄子的身影。

倘若这三个理由加在一起还不够，那笔者愿意再补上一个理由。小王子责备大人不懂小孩，但飞行员这个大人为什么能懂小王子呢？也许还算不上真懂？大人可以责备小孩不懂大人吗？不同的个人、群体之间能够相知吗？人际冲突、文明冲突或可免乎？这些问题，在义理上或许通于濠梁之辩，或许也通于《齐物论》的小知与大知之辩，通于《〈齐物论〉新编及释》的梦觉之辩。后者把一梦一觉作为思的原动力。每一次发动，它推动文的进展，直至力量耗尽。然，在问题似乎解决之处，总是再次撞上梦与觉的吊诡，一梦一觉，在新的层面再次成为原动力。一、吊诡、寓言，构成三个核心主题。四种“一”法是：纯有纯无之一，玄同之一，玄合之一，体合之一。四种吊诡是：言反噬所言之道，言反噬言说行为，言反噬所言之论，梦与觉。寓言之三种语力是：语义层面的相互指引，语用显现，溢出纸面的能力。

以下为《〈齐物论〉新编及释》的正文。

昔者庄周梦为胡蝶，栩栩然胡蝶也。自喻适志与！不知周也。俄然觉，则蘧蘧然周也。周与胡蝶则必有分矣。此之谓物化。不知周之梦为胡蝶与？胡蝶之梦为周与？

注：将《齐物论》的终端作为发端，是否读得通，说得通？挑战思、想、力。思，理解力；想，想象力；信，信力，相信《齐物论》的言说如其所言，始卒若环，莫得其伦。

引庄子，引用之，变易之，新理踵出。这里，只是变更了语序，但故事情节、义理关节似乎也随之而变。在庄梦蝶、蝶梦周的纯叙事之后，紧接着“周与胡蝶则必有分矣。此之谓物化”，说出了常识、常人之觉。此处之物化乃消极、当扬弃之化于物。“不知周之梦为胡蝶与？胡蝶之梦为周与？”闯入。扰乱了纯净的叙事、确凿的断言，扰乱了梦觉泾渭分明的区分间隔、互不相犯的和谐。怀疑常识。因此怀疑，返身打量自身，常人状态映入眼帘。常人之觉，常人之梦？梦与觉，日常不成问题的界线开始摇曳。颤动的边界。自诘，觉悟机制。自我反问，不仅问自己，问之所问指向自我，指向我是谁等根本问题。反冲出生存的吊诡状态，生存的限度。

一梦一觉，寥天一。何谓也？唤起一个问题，一个主导全文的问题。它是一个阐释符码。

一梦一觉，不妨写作“梦S觉”——这里的S不是字母“S”，它借自太极图中阴阳的分界线，以形达义。它不是字母“S”，是个符号，但不是语言符号。如果要读出来，正是“一……一……”。“梦S觉”，“一梦一觉”。一之一之，一阴一阳之谓道。

一梦一觉，《新编》一以贯之的线索。它是思的原动力。每一次发动，它推动文的进展，直至力量耗尽。然，在问题似乎解决之处，总是再次撞上梦与觉的吊诡，一梦一觉，在新的层面再次成为原动力。

引庄子，却没有呈现绝对忠诚的品德。这是对庄子施暴吗？作为读者、或者未完成之文的共同的作者，这样做，过分吗？绝对忠诚，是诠释活动所需的德性，抑或在诠释活动过程中铭刻于诠释活动者的身心？诠释，关乎德行；读书，关乎精神修炼。《庄子》中的神人，会怎么读《庄子》？以《庄子》读《庄子》，要成为怎么样的人？化理论为方法，化理论为德性。

南郭子綦隐机而坐，苔焉似丧其耦。（示以吾丧我之状。）颜成子游立侍乎前，曰："何居乎？今之隐机者，非昔之隐机者也？"子綦曰："偃，不亦善乎而问之也！今者吾丧我，汝知之乎？"子游曰："敢问其方。"

注：改写庄子，突出"我"，删去冗余信息。

子綦曰："大知闲闲，小知间间。大言炎炎，小言詹詹。其寐也魂交，其觉也形开。与接为构，日以心斗。缦者、窖者、密者。小恐惴惴，大恐缦缦。其发若机栝，其司是非之谓也；其留如诅盟，其守胜之谓也；其杀如秋冬，以言其日消也；其溺之所为之，不可使复之也；其厌也如缄，以言其老洫也；近死之心，莫使复阳也。喜怒哀乐，虑叹变蜇，姚佚启态；乐出虚，蒸成菌。日夜相代乎前而莫知其所萌。已乎，已乎！旦暮得此，其所由以生乎！

注：常人之我，首先是名利场中的我。崔宜明评《庄子》此段文字真千古绝唱，评活了："这一段文字是千古绝唱，写活了把人间世当作名利场的人生曲折情态，说尽了爱不完的滚滚红尘反误了卿卿性命的彻骨悲凉。"[①]

① 崔宜明：《从鹏扶摇到蝶蹁跹：〈逍遥游〉〈齐物论〉通释》，第81页。

一受其成形，不亡以待尽。与物相刃相靡，其行尽如驰而莫之能止，不亦悲乎！终身役役而不见其成功，苶然疲役而不知其所归，可不哀邪！（注：《齐物论》："众人役役，圣人愚芚，参万岁而一成纯。"）人谓之不死，奚益！其形化，其心与之然，可不谓大哀乎？人之生也，固若是芒乎？其我独芒，而人亦有不芒者乎？"

注：对常识常知的怀疑，日常状态的扰动，伴随着哀的情绪。颤动的界线，逍遥之发端。钟泰释"逍遥"：消其习心，动其真机。[①] 忙者心芒。行尽如驰，何其忙。与物相刃相靡，何其芒。贡华南引柳宗元《蝜蝂传》释忙。"行遇物，辄持取，其首负之。""辄"字妙。[②]

瞿鹊子问乎长梧子曰："吾闻诸孔丘：圣人不从事于务，不就利，不违害，不喜求，不缘道，无谓有谓，有谓无谓，而游乎尘垢之外。我以为孟浪之言，丘以为妙道之行。吾子以为奚若？"长梧子曰："瞽者无以与乎文章之观，聋者无以与乎钟鼓之声。岂唯形骸有聋盲哉？夫知亦有之。是其言也，犹时女也。且丘亦大早计，见卵而求时夜，见弹而求鸮

① 参见钟泰：《庄子发微》，第 3 页。

② 参见贡华南：《汉语思想中的忙与闲》，第 13 页。

炙。”之人也，大泽焚而不能热，河汉沍而不能寒，疾雷破山、飘风振海而不能惊。是其尘垢粃糠，将犹陶铸尧舜者也，孰弊弊焉以天下为事！死生无变于己，而况利害之端乎！”

注：此节示以世之“不芒者”。改写庄子，删繁就简，凸显利害二字。

“丘亦大早计”者，孔丘所论二事暂不作主题化评论：其一，“无谓有谓，有谓无谓”，庄子要解决的是说不可说的问题；其二，“游乎尘垢之外”，只是慕道者瞿鹊子从外部对圣人的看。他看到了圣人的“游乎……之外”，似是而非。得道者长梧子从内部对圣人的看则有所不同：“旁日月，挟宇宙，为其吻合……万物尽然，而以是相蕴。”他看到了圣人的“吻合”万物，看到了圣人所看到的物之“是”与万物之“相蕴”。[①]《天下》讲庄子独与天地精神相往来而不敖倪于万物。旁日月，挟宇宙，是为与天地精神相往来。不敖倪于万物，是为吻合。万物尽然，物物成其独也？

“将犹陶铸尧舜者也，孰弊弊焉以天下为事”，此非阿Q之精神胜利法？亦按下不表。

① 崔宜明已洞见“妙道之行”的两重境界，但以瞿鹊子所见第一重境界为“从‘外面’看过来的，是被动的、内敛的和防御性的”，其表达方式是否定的，即“不……”，而长梧子所见第二重境界为“‘内在’的体验，是能动的、扩张的和进取性的”，其表达方式则是肯定的，即“是……”。（参见崔宜明：《从鹏扶摇到蝶翩跹：〈逍遥游〉〈齐物论〉通释》，第228—229页）第二重境界的“内在”，不只是体验上的内在。

小知不及大知，小年不及大年。奚以知其然也？朝菌不知晦朔，蟪蛄不知春秋，此小年也。楚之南有冥灵者，以五百岁为春，五百岁为秋；上古有大椿者，以八千岁为春，八千岁为秋。而彭祖乃今以久特闻，众人匹之，不亦悲乎！此小大之辩也。

注：上承知亦有瞽聋而衍其义。引入《逍遥游》小大之辩。

《逍遥游》讲小大之辩，说“小知不及大知，小年不及大年”。“大知闲闲，小知间间”“大言炎炎，小言詹詹”中的大小，都属于《逍遥游》小大之辩中的“小”，无论是间间之小知，还是闲闲之大知，都是小年之小知耳。郭象《逍遥游》题解：“夫小大虽殊，而放于自得之场，则物任其性，事称其能，各当其分，逍遥一也，岂容胜负于其间哉！”[①] 其注《秋水》：大者至足，故“各知其极，物安其分，逍遥者用其本步而游乎自得之场矣”[②]。这是以《齐物论》所齐之小大解《逍遥游》所辩之小大，范畴混淆，义理上也错失了不同层次的曲折转进。《齐物论》之齐小大，成《逍遥游》所辩之大。再者，若以小鸟、鲲鹏喻人，小鸟之小，不尽性，则不适性。人之性，

① 郭象：《逍遥游注》，载郭庆藩《庄子集释》，中华书局，2004 年第 2 版，第 1 页。

② 郭象：《秋水注》，载郭庆藩《庄子集释》，第 566 页。

生存性，向上提升精神境界之性，而非安于现成化、物化之性。性，不是由社会地位决定的性分或命，而是由人之为人确定的成人尽性的可能性。郭象的错误，不明性命之辨。误将在外者、不由己制的命认作由己制、在我者的性。“命非己制，故无所用其心也。夫安于命者，无往而非逍遥矣。”①

尧让天下于许由，曰：“日月出矣，而爝火不息，其于光也，不亦难乎！时雨降矣，而犹浸灌，其于泽也，不亦劳乎！夫子立而天下治，而我犹尸之，吾自视缺然。请致天下。”许由曰：“子治天下，天下既已治也，而我犹代子，吾将为名乎？名者，实之宾也，吾将为宾乎？鹪鹩巢于深林，不过一枝；偃鼠饮河，不过满腹。归休乎君，予无所用天下为！庖人虽不治庖，尸祝不越樽俎而代之矣。”

昔者庄周钓于濮水。楚威王闻庄周贤，使使厚币迎之，许以为相，曰：“愿以境内累矣！”庄周笑谓楚使者曰：“千金，重利；卿相，尊位也。子独不见郊祭之牺牛乎？养食之数岁，衣以文绣，以入大庙。当是之时，虽欲为孤豚，岂可得乎？子亟去，无污我。我宁曳尾游戏于污渎之中，无为有国者所羁。终身不仕，以快吾志焉！”

① 郭象：《秋水注》，载郭庆藩《庄子集释》，第597页。

注：忠实引用《逍遥游》中尧让天下于许由故事。紧接着讲庄周故事，可以看到两则故事其要素结构间的类似关系，由此引导读者用许由读庄周。

庄周故事，则糅合《史记·老子韩非列传》与《秋水》。真耶？幻耶？我们如何理解寓言中的真实？

丽之姬，艾封人之子也。晋国之始得之也，涕泣沾襟。及其至于王所，与王同筐床，食刍豢，而后悔其泣也。梦饮酒者，旦而哭泣；梦哭泣者，旦而田猎。方其梦也，不知其梦也。梦之中又占其梦焉。觉而后知其梦也。且有大觉而后知此其大梦也。而愚者自以为觉，窃窃然知之。栩栩然与！自喻适志与！固哉！

注：对第一次觉的反思与存疑。保持着“出离”。若不保持“出离”，满足于“觉”（真），则觉“固”化为梦，真人状态蜕变为常人状态。觉者，真者，出离也。悬于吊诡，活在边界处。孔子讲四毋，其一为毋固。

梦觉难分。正在做梦的时候，梦境即是被现实觉知着的实境，不知道是正在做梦。就此而言，梦总是真实的，梦总是沉浸其中。从语词上说，“梦”只能是回溯的用法、旁观的用法。与之相应，则是梦、觉的单向不对称性：总是觉而后知其梦，但没有梦而后知其觉。

“庄周梦为胡蝶，栩栩然胡蝶也，不知周也。俄然觉，则蘧蘧然周也。”庄周觉，而后知“向”之庄周梦为蝴蝶。庄周觉，既知道“向”之庄周梦为蝴蝶，又知道庄周知道“向”之庄周梦为蝴蝶。梦中蝶则只知蝴蝶不知周也。不妨把故事变换一下：“胡蝶梦为庄周，蘧蘧然周也，不知胡蝶也。俄然觉，则栩栩然胡蝶也。”倘若如此，我们只能说：蝴蝶觉，而后知“向”之蝴蝶梦为庄周。蝴蝶觉，既知道“向”之蝴蝶梦为庄周，又知道蝴蝶知道“向”之蝴蝶梦为庄周。梦中庄周则只知庄周不知蝴蝶也。

梦总是沉浸其中，梦醒之后的觉，一方面知道已醒之梦，另一方面则是沉浸此种知道之中。就此而言，梦醒之后的觉因为比所醒之梦多“一方面”内容（知道已醒之梦）而具有优越性；[①] 然而，“沉浸其中”这一“另一方面”使得它仍可能是一种梦的状态——

① 儿童哲学家马修斯记下了一个故事。六岁的孩子问爸爸：怎么知道这一切不是在梦里呢？父亲不知道如何回答。孩子自答：如果是在梦里，我们是不会自己询问这个问题的。参见［美］加雷斯·B. 马修斯：《哲学与幼童》，陈国容译，生活·读书·新知三联书店，2015 年。《世说新语》亦记载卫玠少时困于梦的问题。不过，让他感到困惑的，是梦的成因，或者更确切地说，是梦与现实生活之间的“逻辑”关联，这已经以梦觉之别为逻辑前提。《世说新语·文学》：“卫玠总角时，问乐令梦，乐云：‘是想。’卫曰：‘形神所不接而梦，岂是想邪？’乐云：‘因也。未尝梦乘车入鼠穴、捣齑啖铁杵，皆无想无因故也。’卫思‘因’，经日不得，遂成病。乐闻，故命驾为剖析之。卫即小差。乐叹曰：‘此儿胸中当必无膏肓之疾。’”（徐震堮：《世说新语校笺》，中华书局，1984 年，第 109—110 页）想者，日有所思，夜有所梦。因，无所思而梦。刘孝标注引《周礼》解为“正梦”：“无所感动，平安而梦也。”

“梦$_2$之中又占其梦$_1$”。当然，这个梦$_2$并非醒之前的梦$_1$，哪怕它们的内容一模一样。有大觉而后知此其大梦，这样的过程可以不断延续。吾生有涯，而梦觉也无涯，故行年千载而千载化，不亦快哉！[①]

“栩栩然”，“自喻适志”，庄子原以状蝴蝶。栩栩然蝴蝶，蘧蘧然周，我们或许可以把蘧蘧然周理解为沉沦于常人状态的庄周，把栩栩然蝴蝶理解为不屑名利作逍遥游的觉悟了的庄周。然则，这只是庄周“自以为觉，窃窃然知之”？不同的寓言之间，回旋映带，可以造成含混、歧义、矛盾，把水搅浑，加入噪音，破坏纯净的田园诗通讯。[②]

北冥有鸟，其名为鹏。鹏之背，不知其几千里也。化而为鱼，其名为鲲。鲲之大，不知其几千里也。是鱼也，海运则将徙于南冥。南冥者，天池也。渊兮，似万物之宗。

① 这里仅涉及单一主体的梦觉关系。《列子·周穆王》讲了一个故事：薪者实击鹿而以为梦，旁人因其所说之“梦”而实得所击之鹿，薪者复实生梦，因其梦而实觅得获鹿之旁人，二人遂争鹿生讼。这个故事引入主体间利害相争以及梦境与现实互渗相涉的维度，梦觉的问题变得更加复杂。相关讨论可参见苏晓冰：《是非之争与梦觉之辨——〈列子·周穆王〉篇“郑人有薪于野者”析义》，载《现代哲学》2014年第4期。

② “纯净通讯”“田园诗通讯”，罗兰·巴特借自控制论的术语。在他看来，“能引人阅读的写作上演某种‘噪音’，它是噪音的写作，不纯之通讯的写作；然而这噪音并不是混乱，喧嚣，莫可名状的；它是一种清晰的噪音，以连贯而不是以叠合的方式形成：是种辨别得出的‘乱拼误写’”（［法］罗兰·巴特：《S/Z》，第183页）。

鯈鱼笑之曰："彼且奚适也？我出游从容，濠梁之下，不过数尺而返，消摇清波之间，此亦游之至也，而彼且奚适也？"此小大之辩也。

注：《逍遥游》以鲲化鹏开篇，看那大鹏展翅，何等气象，笼罩中华精神数千年。鲲亦大矣，然终究只是一个过渡，一个陪衬。且为鲲抱不平，且让它成为主角，让鹏成为过渡。庄惠濠梁之辩，千古风流。且让那被指点的鯈鱼开口说话。不过，且让它一开口我们便发笑。

曳尾游戏于污渎之中，鹪鹩安于一枝，长生久视，不过鯈鱼之小确幸耳？孔丘、孟轲，非数数然于致福，非汲汲于富贵。彼弊弊焉以天下为事，果何心哉？[①] 虽

① 崔宜明："无需否认，'不夭斤斧，物无害者，无所可用，安所困苦哉'具有全身免祸的意思，在孟子推崇的'虽千万人，吾往矣'（《孟子·公孙丑上》）的大丈夫精神面前，这种具有浓厚庸人气息的人生态度显得猥琐不堪。"（崔宜明：《从鹏扶摇到蝶蹁跹：〈逍遥游〉〈齐物论〉通释》，第57页）"也许正是因为庄子离开了人的社会解放和自由来讲人的精神解放和自由，所以显得底气不足。'若夫乘天地之正而御六气之辩，以游无穷者，彼且恶乎待哉'是何等慷慨豪迈，接下来的'故曰：至人无己，神人无功，圣人无名'却何其孱弱平淡。"（同上，第27页）"要建构一个大同世界需要去改变这个世界，需要团结和联合起人们共同行动起来，这就没办法'逍遥游'了。于是，庄子露怯了！"（同上，第44页）"'其神凝，使物不疵疠而年谷熟'……只需要一个意念就建构起了大同世界。中国历史上以意念改变事物的'大师'层出不穷，始作俑者正是庄子。"（同上，第44页）"庄子看到了儒家学说的宗旨是心系天下苍生，以天下老百姓都能过上好日子为终极目标而不惜繁难奉身以赴，却轻飘飘一句'孰肯以物为事'带过，本意是要自圆其说，恶果却是自欺欺人。"（同上，第45页）此可谓对庄子的辣评。不妨补充几句："过上好日子"，圣王贤君历来都偏于民的外在德性而非内在德性，偏于民生而非民权，以民为本而非以民为主。

然，犹有未树乎？

此节重申《逍遥游》小大之辩。然以钓于濮水之庄周为小。此庄周，则俄然觉、蘧蘧然之周乎？

“此小大之辩也”，实现了对上文小大之辩的逆转。上引尧让天下于许由故事，忠实于《庄子》，只字未改。《逍遥游》从鲲鹏讲到“至人无己，神人无功，圣人无名”，主旨已明，主体部分已完成。以《大学》体例观之，“至人无己，神人无功，圣人无名”之前相当于《逍遥游》经的部分，而之后讲的不同故事相当于《逍遥游》传的部分，从不同侧面阐发经义。尧让天下于许由故事是传部分的第一个故事。依此脉络，尧为小而许由为大。依《新编》脉络，顺着“小知不及大知，小年不及大年”忠实引用这个故事，读者自然可依照从阅读《逍遥游》而来的理解，以尧为小而以许由为大，进而在庄周故事的阅读中自然以许由比况庄周。然而，此段再现“此小大之辩也”，前文的许由、庄周之大翻转为反讽。其中机制，类似于笑语中抖包袱之时起关键作用的妙语（punch line）。[①]

“南冥者，天池也。”天池是大物。但也不妨解

① 任博克（Brook A. Ziporyn）很巧妙地引入“punch line（妙语）”解说天台宗“开权显实”的哲学。参见 Brook A. Ziporyn，*Emptiness and Omnipresence: An Essential Introduction to Tiantai Buddhism*，Bloomington & Indianapolis：Indiana University Press，2016。

读为小物，而且这样的解读可以很有理趣。崔宜明先生释曰："其'天池'云云，意在'南冥'与'北冥'，在'人'是世界尽头的幽暗不明的溟海，在'天'不过是两个小小的池塘而已。"[①] 天池，可大可小，意义敞口。那么，在其之后加上"渊兮"，似乎就消解了这个可大可小的意义敞口？南溟为渊，北溟亦为渊。下文"沉潜三千里，抟旋涡而下者九万里"，北溟非渊不可。然则，"渊兮，似万物之宗"（《老子》第四章），渊是实指吗？消解了一处意义敞口，似乎引入了另一处意义敞口。

《齐谐》者，志怪者也。《谐》之言曰："鲲之徙于南冥也，沉潜三千里，抟旋涡而下者九万里，去以六月洋流者也。"彼且有待乎？夫乘天地之正，而御六气之辩，以游无穷者，彼且恶乎待哉！

肩吾问于连叔曰："吾闻言于接舆，大而无当，往而不返。吾惊怖其言犹河汉而无极也，大有径庭，不近人情焉。"连叔曰："其言谓何哉？""曰'藐姑射之山，有神人居焉。肌肤若冰雪，淖约若处子；不食五谷，吸风饮露；乘云气，御飞龙，而游乎四海之外；其神凝，使物不疵疠而年谷熟。'吾以是狂而不信也。"连叔曰："是皇帝之所听荧也，而女也何

① 崔宜明：《从鹏扶摇到蝶蹁跹：〈逍遥游〉〈齐物论〉通释》，第9页。

足以知之！之人也，旁礴万物以为一，大浸稽天而不溺，大旱金石流、土山焦而热。神矣，圣矣，至矣！至人无己，神人无功，圣人无名。”

注：鲲之以六月洋流，如鹏之以六月息，如圣人之乘天地之正、御六气之辨而游无穷，如姑射山神人之乘云气、御飞龙而游四海之外。几处的叙事具有明显的同构关系。

唐君毅先生解大鹏：“则谓大鹏，即是逍遥者，固非；大鹏之飞固有待，即无待，也只是鸟，其不能有人之逍遥，不待辩也。”[①] 鹏以大风，有待乎？若鹏有待，则圣人“乘”天地之正，不亦有待乎？唐先生却是实看——亦是死看——大鹏，直以喻言为庄语，非解寓之道。寓言，意在言外，在言的字面义（literal meaning）之外。郭象以为，庄子“极小大之致以明性分之适。达观之士，宜要其会归而遗其所寄”[②]。庄子写书，寄言出意；达人解庄，自当忘言会意。《逍遥游》是否“极小大之致以明性分之适”，可别论。然不泥于字面义、忘言会意的读庄法原则上应该是对路的。

旁礴万物以为一，“一”的主题出现。如何旁礴万物以为一？一个谜。

---

① 唐君毅：《中国哲学原论·原道篇》，学生书局，1978 年，第 350 页。

② 郭象：《逍遥游注》，载郭庆藩《庄子集释》，第 3 页。

南郭子綦仰天而嘘，隐机苔焉，乃入于寥天一。俄然觉，颜成子游问曰："夫子丧我，吾知之矣。形固可使如槁木，而心固可使如死灰乎？"子綦曰："偃，不亦善乎而问之也！女闻人籁而未闻地籁，女闻地籁而不闻天籁夫！"子游曰："敢问其方。"子綦曰："夫大块噫气，其名为风。是唯无作，作则万窍怒为呺。而独不闻之翏翏乎？山林之畏佳，大木百围之窍穴，似鼻，似口，似耳，似笄，似圈，似臼，似洼者，似污者。激者、謞者、叱者、吸者、叫者、譹者、宎者、咬者。泠风则小和，飘风则大和，厉风济则众窍为虚。而独不见之调调之刁刁乎？"子游曰："地籁则众窍是已。敢问天籁。"子綦曰："夫吹万不同，而使其自己也。咸其自取，怒者其谁邪？"子游曰："敢问人籁。"

注：前文已有子綦隐机故事。"南郭子綦隐机而坐，苔焉似丧其耦。"示以吾丧我之状。此处："南郭子綦仰天而嘘，隐机苔焉，乃入于寥天一。"子游之问，重在吾丧我之方。

寥天一，回应题目"梦S觉，寥天一"。寥天一，"一"的主题再现。入乎寥天一，旁礴万物以为一。如何旁礴万物以为一？由此段，初步的解答是，吾丧我，闻天籁。天籁无怒者，一如吾无我。闻天籁，既是吾丧我之方，又是吾丧我之境。

依《齐物论》原文，子游径以为人籁则比竹是已而不问人籁。比竹箫管，“籁”之本义，以之为人籁，亦无不可，然不及子綦以人言为人籁义深。人言，实则物论。“物论者，形开而接物以相构者也……皆假生人之气相吹而巧为变。”[①] 地籁无怒者，故于地籁见天籁。如何于人籁上见天籁？

子綦曰：“人籁则人言是已。夫言非吹也，言者有言。其所言者特未定也。果有言邪？其未尝有言邪？其以为异于鷇音，亦有辩乎？其无辩乎？（注：吹、鷇音，无心、无怒者。言者有言，则有心、有怒者。）大言炎炎，小言詹詹。师其成心，与物相刃。（注：呼应前文“大言炎炎，小言詹詹”，且将言之是非与上文所论常人之追名逐利关联起来。）夫随其成心而师之，谁独且无师乎？未成乎心而有是非，是今日适越而昔至也。是以无有为有。无有为有，虽有神禹且不能知，吾独且奈何哉！道恶乎隐而有真伪？言恶乎隐而有是非？道恶乎往而不存？言恶乎存而不可？道隐于小成，言隐于荣华。故有儒墨之是非，以是其所非而非其所是。欲是其所非而非其所是，则莫若以明。物无非彼，物无非是。自彼则不见，自知则知之。故曰：彼出于是，是亦因彼。

① 王夫之：《庄子解》，载《船山全书》第十三册，第93页。

彼是方生之说也。虽然，方生方死，方死方生；方可方不可，方不可方可；因是因非，因非因是。是以圣人不由而照之于天，亦因是也。是亦彼也，彼亦是也。彼亦一是非，此亦一是非，果且有彼是乎哉？果且无彼是乎哉？彼是莫得其偶，谓之道枢。枢始得其环中，以应无穷。是亦一无穷，非亦一无穷也。故曰：莫若以明。

古之人，其知有所至矣。恶乎至？有以为未始有物者，至矣，尽矣，不可以加矣！其次以为有物矣，而未始有封也。其次以为有封焉，而未始有是非也。是非之彰也，道之所以亏也。道之所以亏，爱之所以成。果且有成与亏乎哉？果且无成与亏乎哉？有成与亏，故昭氏之鼓琴也；无成与亏，故昭氏之不鼓琴也。昭文之鼓琴也，师旷之枝策也，惠子之据梧也，三子之知几乎皆其盛者也，故载之末年。唯其好之也以异于彼，其好之也欲以明之。彼非所明而明之，故以坚白之昧终。而其子又以文之纶终，终身无成。若是而可谓成乎，虽我亦成也；若是而不可谓成乎，物与我无成也。是故滑疑之耀，圣人之所图也。道行之而成，物谓之而然。其分也，成也；其成也，毁也。凡物无成与毁，复通为一。唯达者知通为一。为是不用而寓诸庸，此之谓“以明”。

注：前文述吾丧我，从利害上说。此两段则从言、知上说。破言之是非，明知之四重境界。“道”出场，“以明”出场，“道通为一”出场，渐至庄子义理之高峰。

故为是举莛与楹，厉与西施，恢诡谲怪，道通为一。夫天下莫大于秋豪之末，而太山为小；莫寿乎殇子，而彭祖为夭。天地与我并生，而万物与我为一。

注：“一”的主题再现。天地与我并生，而万物与我为一。庄子义理之顶峰，至矣，尽矣，不可以复加矣。

然则，天地如何与我并生，万物如何与我为一？

上文讲知之四重境界呈现为由古至今不断蜕变的过程。然则，今之求道者，必逆此四重境界而行之——由是非之彰返回未始有是非之封，进而返回未始有封之物，进而返回未始有物之无。如此，由众有导向纯有，而纯有即是纯无，道通为一。一，纯有纯无之一。①

天地与我并生，而万物与我为一。既已为一矣，

① 参见陈少明：《〈齐物论〉及其影响》，北京大学出版社，2004 年，第 21—24 页。

且得有言乎？既已谓之一矣，且得无言乎？一与言为二，二与一为三。自此以往，巧历不能得，而况其凡乎！故自无适有，以至于三，而况自有适有乎！无适焉，因是已！孰知不言之辩，不道之道？

道行之而成，物谓之而然。恶乎然？然于然。恶乎不然？不然于不然。恶乎可？可乎可？恶乎不可？不可乎不可。物固有所然，物固有所可。无物不然，无物不可。

啮缺问乎王倪曰："子知物之所同是乎？"曰："吾恶乎知之！""子知子之所不知邪？"曰："吾恶乎知之！""然则物无知邪？"曰："吾恶乎知之！虽然，尝试言之：庸讵知吾所谓知之非不知邪？庸讵知吾所谓不知之非知邪？有儒墨之是非，以是其所非而非其所是。今且有言于此，不知其与是类乎？其与是不类乎？类与不类，相与为类，则与彼无以异耶？吾与与女皆梦也。予谓女梦亦梦也。是其言也，其名为吊诡。万世之后而一遇大圣知其解者，是旦暮遇之也。"

注：天地与我并生，而万物与我为一。庄子义理之顶峰，至矣，尽矣，不可以复加矣。尘埃落定，智珠在握，经种种觉而生大觉。然则，话音未落，吊诡随即相伴而生。且是种种吊诡。"既已为一矣，且得有言乎？既已谓之一矣，且得无言乎？"道与言

的吊诡：言道之言落在道之外。如此，则须无言。言无言，却是言。庄子言道，道需无言，而庄子却言之不休。庄子“既以忘言为宗，而又繁有称说”①。说不可说的吊诡？再者，否定儒墨之是非的言论（无是无非之论），是否与儒墨（是非之论）构成对待而成为自身所否定的是非之论？以上种种，言的反噬：反噬所言之道，反噬言说行为，反噬所言之论。再者，价值上的是非基于事实上的区分（封）。存在论上，物必有分？再者，我说你在做梦，可是，说你在做梦的我是不是在做梦？梦与觉的吊诡。遇吊诡，冲波逆折。“天地与我并生，而万物与我为一”，经九死一生才找到的大智慧，还没来得及捂热，庄子就马上敝屣视之？“舜视弃天下，犹弃敝蹝也。”（《孟子·尽心上》）庄子妙手缔造的太虚幻境，亲手打碎之。放弃纯有纯无之一。

寂漠无形，变化无常。死与，生与，天地并与，神明往与！芒乎何之？忽乎何适？万物毕罗，莫足以归。古之道术有在于是者，庄周闻其风而悦之。独与天地精神往来，而不敖倪于万物。旁日月，挟宇宙，为其吻合，置其滑涽，参万岁而一成纯。万物尽然，而以是相蕴。不谴是非，以与世俗处。有

① 王夫之：《庄子解》，载《船山全书》第十三册，第417页。

自也而可，有自也而不可；有自也而然，有自也而不然。恶乎然？然于然；恶乎不然？不然于不然。恶乎可？可于可；恶乎不可？不可于不可。无物不然，无物不可。

注：独与天地精神往来，而不敖倪于万物。此即天地与我并生，而万物与我为一。终以庄周为体道者。在庄周这里，道成肉身。至矣，尽矣，不可以复加矣。

然则，既放弃纯有纯无之一，天地如何与我并生，万物如何与我为一？

郭象注《庄》，因然强调物之“各”，但同时也强调物之“一”。物之一，万物基于独化由“玄同”“玄合”而来的“一”。郭注《齐物论》“天地与我并生，而万物与我为一”：“苟足于天然而安其性命，故虽天地未足为寿而与我并生，万物未足为异而与我同得。则天地之生又何不并，万物之得又何不一哉！”[①] 这是说，从时间上看，我与天地同寿；从空间上看，我与万物无异。万物与我为“一”，因为万物与我没有价值上的差别。《齐物论》紧接着说：“既已为一矣，且得有言乎？”郭象注：“万物万形，同于自得，其得一也。已自一矣，理无所言。”[②] 这里包含了郭象对“一”的进一步解释：一者，一于自

① 郭象：《齐物论注》，载郭庆藩《庄子集释》，第81页。

② 郭象：《齐物论注》，载郭庆藩《庄子集释》，第82页。

得；易言之，就自得而言，万物是一样的。“万物与我为一”之“一”，可以翻译为“一样”，但不能译为“统一”或“一体”。《天下》述惠施历物十事，其一曰：“万物毕同毕异，此之谓大同异。”《德充符》讲“自其同者视之，万物皆一也”。这与其说是惠施万物因毕同而大同的思路，倒不如说是接过惠施万物毕异之说，却由此导出万物同的结论，与惠施之“大异”大相径庭。[①] 万物与我为一，由大异/毕异（承认各物之异）而大同/毕同（物物有个）。郭象“玄同”说的思路便是如此。“物皆自是，故无非是；物皆相彼，故无非彼。无非彼，则天下无是矣；无非是，则天下无彼矣。无彼无是，所以玄同也。”[②] “玄同”乃是说万物同于一得：万物皆自得，所以它们在价值上没有高低之分。《齐物论》讲物之异，但未有明言物之性。《骈拇》等篇则明言“性”：“彼正正者，不失其性命之情。……是故凫胫虽短，续之则忧；鹤胫虽长，断之则悲。故性长非所断，性短非所续；无所去忧也。意仁义其非人情乎？彼仁人何其多忧也。”郭象论玄同，其高明之处在于，

---

① 惠施也讲“天地一体”。葛瑞汉（Angus Charles Graham）认为，初看起来，庄子会同意惠施此说；然而，庄子从来没有说万物为一，他只是说，圣人在主观上待物为一。（参见 A. C. Graham，*Chuang Tzu: The Inner Chapters*，London：Allen & Unwin，1981，p. 56）

② 郭象：《齐物论注》，载郭庆藩《庄子集释》，第 66 页。

以得道、适性（道性合一，类乎《中庸》天命谓性的思路）作为“是”的超越根据。如此，万物玄同，不是简单的无根基的相对主义。[①] 其不足之处在于，失落了庄子的自我怀疑精神与自身限度意识，对自性过于自信。自性之性同时意味着界限，意识着“非”：它不是他物，它更不是道本身。道在万物之中，但万物中的任何一物都不可完整地居有道。得道，得道之一部分。适性，性有不足。易言之，郭象错失了因生存吊诡而来的冲击力。当然，郭象也有“万物一体”的思想。郭注《齐物论》“旁日月，挟宇宙”：“以死生为昼夜，旁日月之喻也；以万物为一体，挟宇宙之譬也。”[②] “万物与我为一”的“一”是“玄同”之一，而“万物一体”之“一”则是“玄合”之一。前者就价值而言，后者就存在状态而言。然，玄合仍是理上合。不是儒家所讲的仁者与天地万物一体的体上合。如阳明《大学问》：“大人者，以天地万物为一体者也。其视天下犹一家，中国犹一人焉。若夫间形骸而分尔我者，小人矣。大人之能

---

① 陈鼓应注“天下莫大于秋豪之末，而大山为小；莫寿于殇子，而彭祖为夭”：“在庄子看来，大小长短是相对、比较而言的，不是绝对的。每一个东西都比它小的东西大，也都比它大的东西小，所以每一个东西都是大的，也都是小的。依此而得出这种诡论来。”（陈鼓应：《庄子今注今译》，中华书局，1983 年，第 72 页）这里只有物与物的相对，没有道、性的维度。

② 郭庆藩：《庄子集释》，第 127 页。

以天地万物为一体也，非意之也，其心之仁本若是。”①

以谬悠之说，荒唐之言，无端崖之辞，时恣纵而不傥，不以觭见之也。寓言十九，重言十七。卮言日出，和于天倪。

注：三言，悬解吊诡。

重言十七，所以已言也。不言则齐，齐与言不齐，言与齐不齐也。故曰无言，言无言。终身言，未尝不言；终身不言，未尝不言。有始也者，有未始有始也者，有未始有夫未始有始也者；有有也者，有无也者，有未始有无也者，有未始有夫未始有无也者。俄而有无矣，而未知有无之果孰有孰无也。今我则已有有谓矣，而未知吾所谓之其果有谓乎？其果无谓乎？

注：崔宜明先生释“重言”：“重复地说，就是肯定与否定同时并举的言说方式。”②

---

① 王阳明：《王阳明全集》，上海古籍出版社，1992 年，第 968 页。值得一提的是，陈少明认为，张载《西铭》万物一体、民胞物与、生顺殁宁的思想，袭取《齐物论》“天地与我一体，万物与我并生”的观点，以及《知北游》“人之生，气之聚也，聚则为生，散则为死。若生死为徒，吾又何患？故万物一也”。（陈少明：《〈齐物论〉及其影响》，北京大学出版社，2004 年，第 123 页）

② 崔宜明：《生存与智慧：庄子哲学的现代阐释》，第 29 页。

儒之是，是其所是而非其所非。主张一种“是”，一种依其本性要趋于稳固的意底牢结。稳固者，其体（是非分明的立场），其德（是非分明的言述），其用（己心固，且以固人心）。船山以为，儒墨百家之论，“其始也，要以言道，亦莫非道也”，其既也，则激于意气，“勿论其当于道与否”而沦为物论。[①] 物论主张一种“是”，也可以说是认为世界的认识已然实现。崔宜明先生从两点分析了以为“已知”真理的心理与动机：“一是懒惰，既然是不可能完成的任务，为什么还不放弃呢？二是利益，既得利益者为了维护既得利益，就必然会认为对这个世界的认识已然完成，既得利益集团必然要阻碍和打击继续深化和发展认识这个世界的那些努力。”[②]

如何破除儒墨之是非且不与儒墨对待？陈少明先生已注意到，“《齐物论》关于齐是非的观点，在否定一切是非与‘否定一切是非’的命题之间，存在着一种悖论”，而郭象则试图用双非双遣的手法摆脱这种悖论[③]。郭象注“莫若以明”：“夫有是有非者，儒墨之所是也；无是无非者，儒墨之所非也。今欲是儒墨之所非而非儒墨之所是者，乃欲明无是无非

① 参见王夫之：《庄子解》，载《船山全书》第十三册，第 93 页。

② 崔宜明：《从鹏扶摇到蝶蹁跹：〈逍遥游〉〈齐物论〉通释》，第 160 页。

③ 陈少明：《〈齐物论〉及其影响》，第 123 页。

也。欲明无是无非，则莫若还以儒墨反复相明。反复相明，则所是者非是而所非者非非矣。非非则无非，非是则无是。”① 双非双遣，按船山的说法，则是自说自扫：“内篇虽极意形容，而自说自扫，无所黏滞”②。自说自扫，遣之又遣，崔宜明有“自否剩余”之说：“所谓自否剩余，指庄子讲道理常常是在讲明白某个道理以后，马上就讲与这个道理相反的道理。他刚立了一个命题，你接受了，觉得说得真对、真好，马上他自己把它否定了，指出这个命题的正确性存在问题，从而否定了刚刚讲过的道理。但有意思的是，正是通过这种自我否定产生出新的意义溢出，开启了理解这个世界的新角度和体验存在的新方式。”③

寓言十九，藉外论之，因以曼衍。汝梦为鸟而厉乎天，梦为鱼而没于渊。不识今之言者，其觉者乎，其梦者乎？造适不及笑，献笑不及排，安排而去化，乃入于寥天一。

注：梦S觉，寥天一。点题。“梦S觉，寥天一”作为题目唤起的问题，在此算是交待了谜底。罗

① 郭象：《齐物论注》，载郭庆藩《庄子集释》，第65页。

② 王夫之：《庄子解》，载《船山全书》第十三册，第184页。

③ 崔宜明：《从鹏扶摇到蝶蹁跹：〈逍遥游〉〈齐物论〉通释》，第13页。

兰·巴特说："叙事上，一个谜自问题引至解析，需经种种拖延。"[①] 文之动态的关键，在谜底的最初裂隙处保持住谜，阐释活动必须用各种手段设置拖延：圈套、含混、部分解答、中止解答、刹住，等等。[②] 当然，巴特所指，乃成功的叙事。文似看山不喜平。《新编》围绕一梦一觉的多层展开，围绕万物如何与我为一的种种解答，或许也在某种程度上造成了种种拖延？

《庄子》内不同的寓言之间、《庄子》与其他文本之间，回施映带，是为曼衍。曼衍者，"散漫流衍，不拘常规"[③]。以建构、解构或解-建构的方式造出新的 con-text。这里的 con-可能是限制性的，带来意义的闭合、清晰与稳定，但也可能是生产性的，带来语义的开放、繁衍与生成。[④] 换个角度看，则是意义的撒播。"一""化""莫若以明"等义素，若散落各处的珍珠，虽然没有有形的线把它们联缀贯串起来，但它们交相辉映，断而未断。曼衍带给寓言一种独

① ［法］罗兰·巴特：《S/Z》，第 48 页。

② ［法］罗兰·巴特：《S/Z》，第 105 页。

③ 陈鼓应：《庄子今注今译》，第 89 页。

④ 屠友祥论曰："巴特所谓的文，处于不停地编辑之中，破坏了稳定性和封闭性，追求游移和偏离，播撒和运动，而这种运动性无法还原为固定的、完成了的句子。""文自身拥有挣脱完成性之句子的力量，每当句子企图在文之中重新形成自己、重新呈露权力之际，文亦与之相应地挣脱着。"（屠友祥：《修辞与意识形态》，人民出版社，2012 年，第 34 页）

特的语力。罗兰·巴特关于含蓄意指的论说完全可以移植过来阐述寓言由曼衍而来的语力[①]:“有力量将自身与往昔、日后或外来的叙述相连,与此文(或彼文)的另外轨迹相交。”[②]

寓言之语力,除了语义层面的相互指引,还表现为语用显现。庄子关于道言悖论的应对,便是语用显现:因为悖论的出现,迫使读者从庄子所说的内容转向庄子“怎样说”,从而领悟到言说过程本身所显现的言说的意向性,“即对不可说的‘道’的生存意向”[③]。语用显现,通过怎么说来说,而不是通过说什么来说。语用显现,语用能指。

寓言之语力,还表现在寓言溢出纸面的能力。陈少明先生认为,寓言以喻为根。引钱锺书论喻:“比喻有两柄而复多边。盖一事物一而已,然非止一性一能,遂不限于一功一效。取譬者用心或别,着眼因殊,指(denotatum)同而旨(significatium)则异。”[④] 然则,“用心”“着眼”,取譬者知其所指,用

① 语力(illocutionary force),戴维森(Donald Davidson)之论甚是精彩。不过,戴维森还只是在句子层面讨论语力。关于语力,萧阳教授写过一篇很有洞见的文章。(参见萧阳:《与戴维森一起读〈论语〉——早期汉语的语气、语力与交流实践》,杨超逸译,载杨国荣主编《思想与文化》第26辑,华东师范大学出版社,2020年)

② [法]罗兰·巴特:《S/Z》,第11页。

③ 崔宜明:《生存与智慧:庄子哲学的现代阐释》,第34页。

④ 钱锺书:《管锥编》第一册,中华书局,1979年,第39页。参见陈少明:《〈齐物论〉及其影响》,第178页。

意用权。喻之多边，还表现为边的开放性。用喻，言说者自觉或不自觉地引入了一种超乎自己控制的言说。喻、用喻之寓言留下了未定的经验敞口，邀约读者接入自己的经验。由此，寓言获得了不断重新肉身化的可能性，同时亦获得溢出纸面、指向读者经验的语力。

卮言日出，和以天倪，所以穷年。万物皆种也，以不同形相禅，始卒若环，莫得其伦，是谓天均。天均者，天倪也。非卮言日出，和以天倪，孰得其久！

昔者庄周梦为胡蝶，栩栩然胡蝶也。自喻适志与！不知周也。俄然觉，则蘧蘧然周也。周与胡蝶则必有分矣。不知周之梦为胡蝶与？胡蝶之梦为周与？周与胡蝶则必有分矣。此之谓物化。

注："周与胡蝶则必有分矣。"必者，沉沦之必然，区分之必然？存在的天命？桀骜不驯、与人共生的原始力量。悬解，不是消泯分，而是与之达成和解。知分而无分。必有分，然不知具体如何分。有分是必，具体如何分，无必，勿固，悬置判断。与吊诡达成和解，亦是人之有限性存在与无限性追求之间达成和解。悲情。情者，既是情感，又是实情。悲者，取古希腊悲剧义、魏晋人士宇宙悲情义。

和解，和（去声）之。“各”“个”“和”“一”。不是取消、消弥差异，而是在尊重差异的同时看到差异的限度，理上玄同，事上玄合。

物化，随物迁化。非开端之化于物。觉而后与分达成和解，对于物的泰然任之。[①] 且称之为泰氏。“泰氏其卧徐徐，其觉于于，一以己为马，一以己为牛；其知情信，其德甚真，而未始入于非人。”（《应帝王》）

---

① 海德格尔：“我想用一个古老的词语来命名这种对于技术世界既说‘是’也说‘不’的态度：对于物的泰然任之（die Gelassenheit zu den Dingen）。”（［德］海德格尔：《泰然任之》，戴晖译，孙周兴校，载孙周兴选编《海德格尔选集》，上海三联书店，1996 年，第 1239 页）

跋语

世界真奇妙，充满了意想不到的机缘。

和《小王子》交往，不觉已有二十余年。家中有不少《小王子》的版本，其中一个法文版是与芥末游历欧洲时添置的。几年前读到周保松教授《小王子的领悟》，颇受启发：过着生活的学者除了正式的论文撰述之外，也可以写一些好玩的东西。2022年10月18日下午二时许，收到华东师范大学图书馆馆长胡晓明先生的微信邀约：图书馆新开“王元化学馆听书系列”，围绕一个专题讲十次，每次五至八分钟。在接下来的几天里，不知因何因缘，我决定讲《〈小王子〉的哲学意蕴》。十余天后，将十次录音发给胡老师。胡老师的厚爱提供了思考的契机。后来，在说书的基础上，写成了一篇正儿八经的论文，名曰《驯养天地，驯养语言：〈小王子〉与汉语言伦理学》，投给复旦大学邓安庆教授主编的《伦理学术》。再后来，和华东师范大学思勉高等人文研究院院长袁筱一教授聊到《小王子》，她说可以组织一次研讨。于是，有了2023年5月26日在华东师范大学外语学院世界文艺花园的《小王子》共读活动。参加这次活动，有幸见到了诗人树才先生，还得到了他的签名译本。

有感于《小王子》哲学意蕴丰厚，我下定决心写一本小书，作为"开端：面向青少年的哲学"（华东师范大学哲学系、中国智慧研究院组编，杨国荣主编）的一个专辑。书名颇费踌躇。"感悟《小王子》"或"《小王子》的哲学意蕴"或许是不错的选择。直到2023年暑假，美国肯庸学院萧阳教授来沪开设《大伦理学引论》，有一次上课用的材料是澳大利亚哲学家兼作家雷蒙德·盖塔（Raimond Gaita）的书《哲学家的狗》。见此书名，喜不自禁，遂决定用类似的办法命名尚在写作过程中的书，颜曰"哲学家的小王子"。

在此，我需要马上做一个解释：非敢以哲学家自居也。"哲学家的小王子"意在表达，《小王子》的作者是位哲学家；进而，正因其哲学意蕴之故，哲学工作者从哲学的角度解读《小王子》，或可免深文巧傅之讥。

很高兴在儿童节前夜完成书稿。6月18日，读到黄荭教授在“6.28小王子论坛”微信群里分享的一篇文章，心有戚戚焉，忍不住将其中一段文字引用如下：

> 必须认真对待圣埃克苏佩里。这就意味着要考量他作品中真正的哲学内涵，他将一个非常严肃且充满抱负的文学沉思伪装成一个童话故事。这样看来，德国伟大的思想家海德格尔没看走眼，因为所说《小王子》是他最喜欢的书籍之一。如果此言非虚，这就说明了表面风格迥异的两人其实心灵相通，圣埃克苏佩里的文字简洁明了，而海德格尔的文字却极其复杂，如果不说是晦涩难懂的话。过去，当圣埃克苏佩里的作品受到真正的重视，评论家认为，将他的作品与马尔罗、萨特或加缪的作品相提并论并给予同等评价很正常。这么做是对的。（菲利普·福雷斯特：《重读圣埃克苏佩里》，黄荭译，载《经济观察报·观察家》2024年5月20日第32版）

海德格尔赞叹《小王子》，对此早有耳闻矣。然苦于未见一手文献。在“尚义桥边研修会”微信群发起求援，得到了蔡添阳、李家明、万思哲诸君的响应与帮助。一些间接的德、英、日、中文文献说，《小王子》乃海氏酷嗜之书。依照《纽约日报》

（1982 年 1 月 17 日）以及卡特（Curtis Cate）所撰《圣埃克絮佩里》（*Antoine de Saint-Exupéry*，New York：G. P. Putnam's Sons，1970，p.465），海氏认为《小王子》是 20 世纪最伟大的存在主义篇什之一。可惜诸家均未交待来历。海德格尔在庆祝菲克尔八十寿辰致辞中引用圣埃克絮佩里《城堡》（还不是《小王子》）中的一句话："创建爱情吧，向着塔楼，因为它们掌控着荒漠。"海氏作了"深度解说"，将塔楼和寂静之音联系起来：荒漠中的塔楼发出寂静之音（das Geläut der Stille），即道说（Sagen）。（［德］海德格尔：《讲话与生平证词（1910—1976）》，孙周兴等译，商务印书馆，2018 年，第 672—673 页）"道说"这个译名似乎提示，寂静之音通于老子况喻道的希声大音。《小王子》写道："什么也看不见。什么也听不见。有什么东西在寂静中发生光芒。"本质的东西用眼睛是看不见的，用耳朵是听不见的。听之以内心之耳，于渊默中听出雷声；视之以心灵之眼，于无形中窥见发光的奥秘。不过，和圣埃克絮佩里、海德格尔不同的是，老子会认为，听寂静之音，无须遁入荒漠。在熙攘的人群中，在纷纭的万物中，就能听出寂静之音。"夫物芸芸，各复归其根。归根曰静，是谓复命。"（《老子·十六章》）物归其根，在自身中复归于道，因道不在物外之故。王弼《老子指略》云："象而形者，非大象也；音而声者，非大音也。然则，四象不形，则大象无以畅；五音不声，则大音无以至。四象形而物无所主焉，则大象畅矣；五音声而心无所适焉，则大音至矣。"（王弼著、楼宇烈校释：《王弼集校释》，第195页）

写作过程得到了很多人的帮助，在此谨致谢忱。感念朱枫，他让我遇见了《小王子》。王文祺帮忙从上海图书馆扫描了《给人质的一封信》。蒋周伟帮忙从图宾根图书馆扫描了罗姆巴赫对《小王子》的密释学解读。萧阳老师所鼓吹的"大伦理学"观念，樊沁永兄所倡导的徐梵澄精神哲学，显然在小书的构思中打下了烙印。胡晓明老师的题签，高菱邀请刘昊华老师创作的插画，它们的加持为小书增添了神采。萧阳老师、朱承老同学、程亮兄、沁永兄慨然应允作序，无形中开展了一次精彩的书前"席明纳"（seminar）。本初的高效工作，让小书得以在圣埃克絮佩里诞辰125周年之际面世。